D1276709

Salades
et Cie

simplement délicieuses

Salades
et Cie

Bath · New York · Singapore · Hong Kong · Cologne · Delhi · Melbourne

Copyright © Parragon Books Ltd
Queen Street House
4 Queen Street
Bath, BA1 1HE
Royaume-Uni

Photographies : Günter Beer
Conseil : Steven Paul
Maquette : Talking Design

Réalisation : InTexte, Toulouse

ISBN : 978-1-4075-7248-2
Imprimé en Chine
Printed in China

Une cuillerée à soupe correspond à 15 à 20 g d'ingrédients secs et à 15 ml d'ingrédients liquides. Une cuillerée à café correspond à 3 à 5 g d'ingrédients secs et à 5 ml d'ingrédients liquides. Sans autre précision, le lait est entier, les œufs sont de taille moyenne et le poivre est du poivre noir fraîchement moulu. Les temps de préparation et de cuisson des recettes pouvant varier en fonction, notamment, du four utilisé, ils sont donnés à titre indicatif.
La consommation des œufs crus ou peu cuits n'est pas recommandée aux enfants, aux personnes âgées, malades ou convalescentes et aux femmes enceintes.

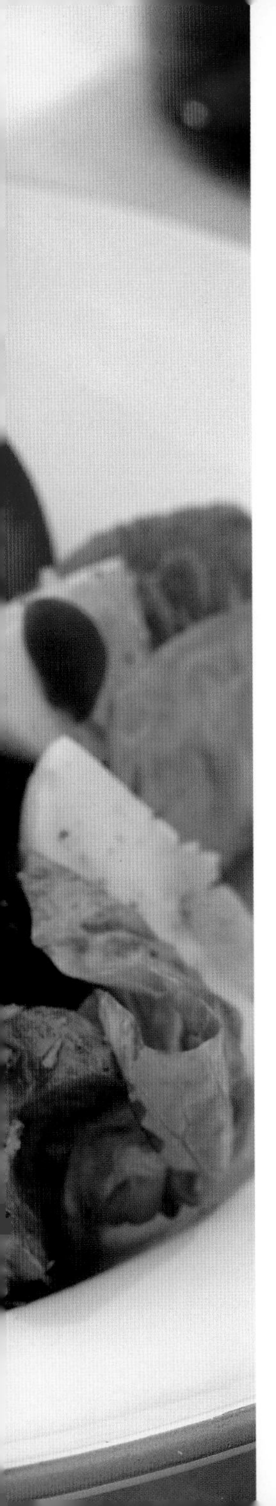

Sommaire

Des saveurs estivales tout au long de l'année

Si vous considérez les salades d'un œil neuf, vous vous apercevrez que les saladiers peuvent contenir de nombreux mélanges appétissants. Bannissez de votre esprit l'image, associée aux régimes, des salades monotones qui ne consistent qu'en quelques feuilles de laitue et en tomates sans goût.

Aujourd'hui, les salades sont recherchées pour les bienfaits qu'elles procurent mais aussi pour la variété de couleurs, d'arômes et d'aliments nutritifs qu'elles contiennent. Dans cet ouvrage, vous trouverez l'inspiration pour vous lancer dans la préparation de toutes sortes de salades, dédiées à toutes les occasions, des repas familiaux aux réceptions entre amis.

Les salades sont assez polyvalentes pour satisfaire les goûts des végétariens comme des carnivores. Viandes, fruits de mer et volailles sont les ingrédients parfaits pour agrémenter une salade, de même que toute sorte de légumes, de fines herbes, de fruits à écale, de graines ou encore de fromages.

En choisissant parmi tous ces ingrédients, vous pourrez composer une salade simple et légère ou, au contraire, sophistiquée et nourrissante. Cette polyvalence vous permettra ainsi d'intégrer les salades à vos menus, quels qu'ils soient.

Dans cet ouvrage, vous trouverez une sélection de salades traditionnelles, dont les célèbres salade Caesar, salade du chef ou salade niçoise, pour ne nommer qu'elles. Et si vous vous êtes lassés des salades au poulet parce que vous préparez toujours la même, essayez des salades aux inspirations exotiques telles que la salade de poulet à la mode thaïlandaise (*voir* page 102) ou la salade de tomates à la mexicaine (*voir* page 44). Vous ne verrez plus les salades de poulet de la même manière !

Quantité de bienfaits

Il n'y a pas si longtemps, salades et santé n'étaient liées que dans le contexte frustrant des régimes hypocaloriques. Aujourd'hui, pour le plus grand bonheur de tous, les salades ont trouvé leur place au sein de régimes alimentaires sains, mais également appétissants, variés et, surtout, accessibles à tous.

Grâce aux produits frais venus des quatre coins de la planète que l'on peut désormais se procurer facilement, vous serez en mesure de préparer des salades tout au long de l'année. Rappelez-vous toutefois que votre salade ne sera que meilleure si vous veillez à choisir des produits de saison.

Nous devrions manger au moins cinq fruits et légumes par jour, et une salade consommée quotidiennement peut vous aider à respecter cette prescription. Régalez-vous avec la salade

grecque traditionnelle (*voir* page 16) ou encore avec la salade tricolore (*voir* page 34). Quoi de plus simple, et de plus agréable ?

Servie avec un plat de pâtes ou avec du rôti, la salade constitue également le plus approprié des accompagnements.

Alors, si vous vous contentez généralement d'agrémenter quelques feuilles de laitue d'un peu de vinaigrette, revoyez vos habitudes. En effet, rien n'est plus simple que de mélanger quelques ingrédients qui se marient bien, et le choix n'a jamais été aussi vaste. Ne pensez pas non plus qu'une salade doive forcément ne contenir que des aliments crus. Ajouter un peu de viande, de volaille ou de fruits de mer cuits vous permettra de préparer un repas nourrissant. Pour préparer unee salade-repas, pensez à la salade de potiron au rôti de porc (*voir* page 112), à la salade de poulet et sa sauce aux avocats et à l'estragon (*voir* page 110) ou à la salade de riz aux crevettes (*voir* page 144). Il existe également quantité de plats uniques végétariens tels que le taboulé (*voir* page 190) et la salade de nouilles au tofu (*voir* page 192).

Il ne faudrait pas non plus oublier les légumes cuits, qui sont tout aussi délicieux dans les salades. Des poivrons grillés, des aubergines frites, des haricots verts blanchis et des petits pois ne sont que quelques exemples de légumes cuits qui ajouteront une tout autre dimension à vos salades.

Légumes feuilles colorés

Malgré la variété des ingrédients parmi lesquels on peut choisir, les légumes feuilles restent la base de la plupart des salades. Rendez-vous chez votre primeur et observez la variété de légumes feuilles qui sont proposés, vous verrez qu'il en existe dans de nombreuses couleurs et textures, de la pâle endive à la brillante chicorée rouge. Les saveurs se révèlent également très variées, certaines sont prononcées, voire poivrées, d'autres sont douces et sucrées.

Plus la variété de légumes feuilles inclus dans une salade est grande, plus cette dernière est appétissante et nutritive. Lorsque vous choisissez des légumes feuilles, rappelez-vous que ceux dont la couleur est la plus foncée, comme les épinards, sont ceux qui contiennent le plus de bêta-carotène, qui aide à combattre certaines formes de cancer et autres maladies. Les légumes feuilles sont également une excellente source de fibres.

Il est très pratique d'attraper un sachet de laitue prête à l'emploi sous vide au supermarché, mais il est bien plus gratifiant de prendre le temps de sélectionner quelques légumes chez le primeur. Les magasins d'alimentation asiatiques proposent également toute sorte de légumes inhabituels et appétissants.

Voici quelques variétés de légumes feuilles qui ajouteront de la fantaisie dans vos saladiers :

• Bette – comme les pousses de betterave, ce légume feuille riche en fibres est d'un vert brillant parfois teinté de rouge.

• Capucine – utilisez les feuilles de cette plante. Vous pouvez également en consommer les fleurs, qui, outre le fait d'être décoratives, sont délicieuses.

• Chicorée rouge – aucun légume feuille n'est aussi brillant que les feuilles rouge et blanc vif de la chicorée, qui appartient à la famille amère des endives. La chicorée rouge est croquante et possède un goût de noisette poivré.

• Mâche – ces petites feuilles très tendres ont une saveur douce qui rappelle la noisette.

• Mesclun – ce mélange peut inclure roquette, cerfeuil, pousses de pissenlit et feuilles de chêne.

• Mizuna – cette plante asiatique a une saveur poivrée prononcée. Ses feuilles vertes et pointues sont également très intéressantes visuellement.

• Pousses de betterave – reconnaissables à leurs nervures rouges, ces feuilles tendres ont une saveur très douce.

• Romaine – la salade Caesar ne serait pas la même sans ces longues feuilles croquantes. La romaine présente une tête compacte, composée de longues feuilles à la saveur de noisette très douce.

• Roquette – connu pour son goût poivré prononcé, ce légume feuille de couleur foncée rehaussera nombre de vos salades. Les Italiens l'utilisent beaucoup. Si vous ne parvenez pas à vous en procurer, vous pouvez remplacer la roquette par de la mâche.

Conserver les légumes feuilles

Les bonnes salades sont composées de bons ingrédients, et la fraîcheur de ces derniers est primordiale.

Du fait de leur teneur élevée en eau, les légumes feuilles sont des denrées hautement périssables. Achetez-les juste avant de les utiliser. Ils seront non seulement meilleurs, mais ils contiendront également encore tous leurs nutriments.

Laissez vos yeux vous guider lors de l'achat – les produits frais se repèrent immédiatement. Les feuilles ne doivent pas être teintées de brun, ni être flétries ou visqueuses.

De retour chez vous, rincez vos légumes à l'eau froide et séchez-les soigneusement. Ne les laissez jamais tremper dans de l'eau trop longtemps car toutes les vitamines hydrosolubles et les minéraux seraient dissous.

Les légumes feuilles ne se conservent pas plus de quatre jours au réfrigérateur dans un récipient hermétique. Une fois que vous avez ouvert une poche de laitue prête à l'emploi sous vide, en revanche, vous devrez utiliser la laitue dans les 24 heures.

Vous pouvez préparer vos salades quelques heures à l'avance et les réserver au réfrigérateur, mais n'ajoutez la sauce qu'au dernier moment de sorte que la salade ne « cuise » pas.

Ensoleillées

Salades de légumes

Salade Caesar

Pour 4 personnes

Ingrédients

1 gros œuf
2 romaines
6 cuil. à soupe d'huile d'olive
2 cuil. à soupe de jus de citron
sel et poivre
8 filets d'anchois en boîte, égouttés et grossièrement hachés
85 g de copeaux de parmesan

Croûtons à l'ail

4 cuil. à soupe d'huile d'olive
2 gousses d'ail
5 tranches de pain blanc, croûtes retirées, coupées en dés de 1 cm

Porter une petite casserole d'eau à ébullition.

Pendant ce temps, préparer les croûtons à l'ail. Dans une poêle à fond épais, chauffer l'huile d'olive, ajouter l'ail et les dés de pain, et cuire 4 à 5 minutes en remuant souvent, jusqu'à ce que les dés de pain soient croustillants et uniformément dorés. Retirer les croûtons de la poêle à l'aide d'une écumoire et les égoutter sur du papier absorbant.

Ajouter l'œuf dans l'eau bouillante, cuire 1 minute et retirer de la casserole. Réserver.

Déposer les feuilles de romaines dans un saladier. Mélanger l'huile d'olive et le jus de citron, saler et poivrer. Casser l'œuf dans le mélange obtenu et bien émulsionner. Verser la sauce sur les feuilles de romaines, bien mélanger et incorporer les croûtons et les anchois. Garnir de copeaux de parmesan et servir.

Salade grecque traditionnelle

Pour 4 personnes

Ingrédients

200 g de feta
½ laitue iceberg ou 1 romaine ou scarole, ciselées
4 tomates, coupées en quartiers
½ concombre, coupé en tranches
12 olives noires, dénoyautées
2 cuil. à soupe de fines herbes fraîches hachées, telles que origan, persil plat, menthe ou basilic

Sauce

6 cuil. à soupe d'huile d'olive vierge extra
2 cuil. à soupe de jus de citron
1 gousse d'ail, écrasée
1 pincée de sucre
sel et poivre

Pour la sauce, émulsionner l'huile avec le jus de citron, l'ail, le sucre, du sel et du poivre, et réserver. Couper la feta en cubes de 2,5 cm. Mettre la laitue, les tomates et le concombre dans un saladier. Parsemer de fromage et mélanger.

Juste avant de servir, préparer la sauce, la verser sur la salade et mélanger. Parsemer d'olives et de fines herbes hachées, et servir.

Salade de mozzarella aux tomates séchées

Pour 4 personnes

Ingrédients

100 g de mesclun, contenant de la feuille de chêne, des pousses d'épinards et de la roquette

500 g de mozzarella fumée, coupée en tranches

Vinaigrette

140 g de tomates séchées au soleil à l'huile d'olive (poids égoutté), en réservant l'huile

15 g de basilic frais, grossièrement ciselé

15 g de persil plat frais, grossièrement haché

1 cuil. à soupe de câpres, rincées

1 cuil. à soupe de vinaigre balsamique

1 gousse d'ail, grossièrement hachée

huile d'olive supplémentaire, si nécessaire

sel et poivre

Mettre les tomates séchées, le basilic, le persil, les câpres, le vinaigre et l'ail dans un robot de cuisine. Ajouter 150 ml de l'huile des tomates séchées réservée (compléter avec de l'huile d'olive si la quantité d'huile réservée n'est pas suffisante) et hacher finement le tout. Saler et poivrer.

Répartir le mesclun dans 4 assiettes, garnir de tranches de mozzarella et napper de vinaigrette. Servir immédiatement.

Salade rouge et vert

Pour 4 personnes

Ingrédients

650 g de betteraves cuites
3 cuil. à soupe d'huile d'olive vierge extra
jus d'une orange
1 cuil. à café de sucre en poudre
1 cuil. à café de graines de fenouil
sel et poivre
115 g de pousses d'épinards fraîches

À l'aide d'un couteau tranchant, couper les betteraves en dés et les réserver. Dans une petite casserole à fond épais, chauffer l'huile d'olive, ajouter le jus d'orange, le sucre et les graines de fenouil, saler et poivrer. Chauffer sans cesser de remuer jusqu'à ce que le sucre soit dissous.

Ajouter les betteraves dans la casserole et mélanger de sorte qu'elles soient bien enrobées de sauce. Retirer la casserole du feu.

Répartir les pousses d'épinards dans un grand saladier, ajouter les betteraves chaudes et servir immédiatement.

Salade de mozzarella à l'ail, aux patates douces, aux poivrons et à l'aubergine grillés

Pour 4 personnes

Ingrédients

2 patates douces, pelées et coupées en morceaux
2 cuil. à soupe d'huile d'olive
poivre
2 gousses d'ail, écrasées
1 grosse aubergine, coupée en tranches
2 poivrons rouges, épépinés et coupés en tranches
200 g de mesclun
300 g de mozzarella, égouttée et coupée en tranches

Vinaigrette

1 cuil. à soupe de vinaigre balsamique
1 gousse d'ail, écrasée
3 cuil. à soupe d'huile d'olive
1 petite échalote, finement hachée
2 cuil. à soupe de fines herbes fraîches hachées, telles qu'estragon, cerfeuil et basilic
sel et poivre

Préchauffer le four à 190 °C (th. 6-7). Mettre les morceaux de patates douces dans un plat allant au four, incorporer l'huile et l'ail, et poivrer à volonté. Bien mélanger et cuire 30 minutes au four préchauffé, jusqu'à ce que les patates douces soient légèrement grillées.

Préchauffer le gril à puissance maximale. Mettre les tranches d'aubergine et de poivrons dans un plat et passer 10 minutes au gril en retournant les tranches régulièrement, jusqu'à ce qu'elles soient tendres et légèrement grillées.

Pour la vinaigrette, émulsionner le vinaigre avec l'ail et l'huile, incorporer l'échalote et les fines herbes, et poivrer à volonté.

Pour servir, répartir le mesclun dans 4 assiettes et ajouter les patates douces, la mozzarella, les tranches d'aubergine et de poivrons. Arroser de vinaigrette et servir.

Salade de champignons

Pour 4 personnes

Ingrédients

3 cuil. à soupe de pignons
2 oignons rouges, émincés
4 cuil. à soupe d'huile d'olive
2 gousses d'ail, écrasées
3 tranches de pain, coupées en dés
200 g de mesclun
250 g de champignons de couche, émincés
150 g de shiitakés, émincés
150 g de pleurotes, émincés

Vinaigrette

1 gousse d'ail, écrasée
2 cuil. à soupe de vinaigre de vin rouge
4 cuil. à soupe d'huile de noix
1 cuil. à soupe de persil frais finement haché
poivre

Préchauffer le four à 180 °C (th. 6). Chauffer une poêle antiadhésive à feu moyen, ajouter les pignons et faire revenir jusqu'à ce qu'ils soient légèrement grillés. Transférer dans un bol et réserver.

Mettre les oignons et 1 cuillerée à soupe d'huile d'olive dans un plat allant au four, bien mélanger et cuire 30 minutes au four préchauffé.

Pendant ce temps, chauffer à feu vif 1 cuillerée à soupe de l'huile restante dans une poêle antiadhésive, ajouter les dés de pain et l'ail, et cuire 5 minutes en remuant souvent, jusqu'à ce que le pain soit doré et croustillant. Retirer de la poêle et réserver.

Répartir le mesclun dans 4 assiettes et ajouter les oignons grillés. Pour la vinaigrette, émulsionner l'huile avec le vinaigre et l'ail, incorporer le persil et poivrer à volonté. Arroser le mesclun et les oignons de vinaigrette.

Dans une poêle, chauffer l'huile restante, ajouter les champignons de couches et les shiitakés, et cuire 2 à 3 minutes en remuant souvent. Ajouter les pleurotes et cuire encore 2 à 3 minutes. Répartir les champignons dans les assiettes, parsemer de pignons et de croûtons, et servir.

Salade chaude de lentilles au fromage de chèvre

Pour 4 personnes

Ingrédients

2 cuil. à soupe d'huile d'olive
2 cuil. à café de graines de cumin
2 gousses d'ail, écrasées
2 cuil. à café de gingembre frais râpé
300 g de lentilles rouges
700 ml de bouillon de légumes
2 cuil. à soupe de menthe fraîche hachée
2 cuil. à soupe de coriandre fraîche hachée
2 oignons rouges, finement émincés
200 g de pousses d'épinards fraîches
1 cuil. à café d'huile de noisette
150 g de fromage de chèvre frais
4 cuil. à soupe de yaourt à la grecque
poivre

Dans une grande casserole, chauffer la moitié de l'huile à feu moyen, ajouter les graines de cumin, l'ail et le gingembre, et cuire 2 minutes sans cesser de remuer.

Incorporer les lentilles, ajouter une louchée de bouillon et cuire sans cesser de remuer jusqu'à ce qu'elle soit absorbée. Répéter l'opération avec le bouillon restant – l'opération doit prendre environ 20 minutes. Retirer la casserole du feu et incorporer les fines herbes.

Pendant ce temps, chauffer l'huile restante à feu moyen dans une poêle, ajouter les oignons et cuire 10 minutes en remuant souvent, jusqu'à ce qu'ils soient tendres et légèrement dorés.

Incorporer l'huile de noisette aux pousses d'épinards, et répartir dans 4 assiettes.

Écraser le fromage de chèvre avec le yaourt, et poivrer à volonté.

Répartir les lentilles dans les assiettes, napper du mélange à base de fromage de chèvre et garnir d'oignons.

Salade de haricots verts aux noix

Pour 2 personnes

Ingrédients

450 g de haricots verts
1 petit oignon, finement haché
1 gousse d'ail, hachée
4 cuil. à soupe de parmesan râpé
2 cuil. à soupe de noix ou d'amandes concassées, en garniture

Vinaigrette

6 cuil. à soupe d'huile d'olive
2 cuil. à soupe de vinaigre de vin blanc
sel et poivre
2 cuil. à café d'estragon frais haché

Ébouter les haricots verts et les cuire 3 à 4 minutes à l'eau bouillante salée. Bien égoutter, rafraîchir à l'eau courante et égoutter de nouveau. Transférer les haricots verts dans une terrine et ajouter l'oignon, l'ail et le fromage.

Mettre les ingrédients de la vinaigrette dans un bocal muni d'un couvercle, bien secouer le tout et incorporer dans la terrine. Couvrir de film alimentaire et laisser mariner 30 minutes au réfrigérateur. Retirer la terrine du réfrigérateur 10 minutes avant de servir. Mélanger et répartir dans les assiettes.

Faire griller les noix dans une poêle 2 minutes à feu moyen, jusqu'à ce qu'elles commencent à dorer. Parsemer la salade de noix et servir immédiatement.

Salade de tomates aux oignons rouges et aux fines herbes

Pour 4 personnes

Ingrédients

900 g de tomates, coupées en fines rondelles
1 cuil. à soupe de sucre (facultatif)
sel et poivre
1 oignon rouge, coupé en fines rouelles
1 bonne poignée de fines herbes fraîches hachées

Vinaigrette

2 à 4 cuil. à soupe d'huile végétale
2 cuil. à soupe de vinaigre de vin rouge ou de vinaigre de fruits

Répartir les rondelles de tomates dans un plat peu profond, saupoudrer éventuellement de sucre, saler et poivrer.

Parsemer les tomates de rouelles d'oignons et de fines herbes. Utiliser des fines herbes de saison – estragon, coriandre ou basilic par exemple.

Mettre les ingrédients de la vinaigrette dans un bocal muni d'un couvercle et bien secouer le tout. Verser la vinaigrette sur la salade, mélanger et couvrir de film alimentaire. Mettre la salade 20 minutes au réfrigérateur et la sortir 10 minutes avant de servir.

Salade de betteraves aux noix de pécan

Pour 4 personnes

Ingrédients

3 cuil. à soupe de vinaigre de vin rouge ou de vinaigre de fruits
3 betteraves cuites, râpées
2 pommes acidulées, des Granny-smith par exemple
2 cuil. à soupe de jus de citron
4 bonnes poignées de mesclun, en accompagnement
4 cuil. à soupe de noix de pécan, en garniture

Sauce

50 ml de yaourt nature
50 ml de mayonnaise
1 gousse d'ail, hachée
1 cuil. à soupe d'aneth frais haché
sel et poivre

Arroser les betteraves de vinaigre, couvrir de film alimentaire et mettre au réfrigérateur au moins 4 heures.

Évider les pommes, les couper en lamelles et les mettre dans un plat. Arroser de jus de citron de façon à éviter que les pommes noircissent.

Mélanger les ingrédients de la sauce dans un petit bol. Sortir les betteraves du réfrigérateur, ajouter les pommes et la sauce, et mélanger délicatement.

Pour servir, répartir le mesclun dans 4 assiettes et garnir du mélange à base de betteraves.

Dans une poêle antiadhésive, faire griller les noix de pécan 2 minutes à feu moyen, jusqu'à ce qu'elles commencent à dorer. Garnir la salade de noix de pécan et servir immédiatement.

Salade tricolore

Pour 4 personnes

Ingrédients

280 g de mozzarella, égouttée et coupée en tranches fines
8 tomates cœur-de-bœuf, coupées en rondelles
sel et poivre
20 feuilles de basilic frais
125 ml d'huile d'olive vierge extra

Répartir les tranches de mozzarella et les rondelles de tomates sur 4 assiettes et saler. Laisser mariner 30 minutes dans un endroit frais.

Parsemer les assiettes de feuilles de basilic et arroser d'huile d'olive. Poivrer et servir immédiatement.

Salade de poivrons grillés

Pour 4 à 6 personnes

Ingrédients

6 gros poivrons rouges, orange ou jaunes, chacun coupé en deux dans la longueur, épépiné, grillé et mondé
4 œufs durs, écalés
12 filets d'anchois à l'huile d'olive, égouttés
12 grosses olives noires, dénoyautées
huile d'olive vierge extra ou huile d'olive aromatisée, pour arroser
vinaigre de xérès, à volonté
sel et poivre
pain frais, en accompagnement

Couper les poivrons en fines lanières et les déposer sur un plat de service.

Couper les œufs durs en quartiers et les déposer sur les lanières de poivrons. Ajouter les filets d'anchois et les olives.

Arroser d'huile d'olive et de vinaigre de xérès à volonté, saler, poivrer et servir accompagné de pain frais.

Salade de tomates à la feta grillée

Pour 4 personnes

Ingrédients

12 tomates olivettes, coupées en rondelles
1 petit oignon rouge, coupé en fines rondelles
15 g de feuilles de roquette
20 olives noires, dénoyautées
200 g de feta
1 œuf
3 cuil. à soupe de farine
2 cuil. à soupe d'huile d'olive

Sauce

3 cuil. à soupe d'huile d'olive vierge extra
jus d'un demi-citron
2 cuil. à café d'origan frais haché
1 pincée de sucre
poivre

Pour la sauce, émulsionner l'huile d'olive avec le jus de citron, l'origan, le sucre et le poivre dans un petit bol. Réserver.

Répartir les tomates, l'oignon, la roquette et les olives dans 4 assiettes.

Couper la feta en cubes de 2,5 cm. Battre l'œuf dans un bol et tamiser la farine dans une assiette. Enduire le fromage d'œuf battu et secouer de façon à laisser retomber l'excédent dans le bol. Passer le fromage dans la farine.

Dans une grande poêle, chauffer l'huile d'olive, ajouter le fromage et faire revenir à feu moyen en le retournant souvent, jusqu'à ce qu'il soit uniformément doré.

Parsemer la salade de feta. Fouetter la sauce, en arroser la salade et servir immédiatement.

Salade de poivrons grillés au fromage de chèvre

Pour 4 personnes

Ingrédients

2 poivrons rouges
2 poivrons verts
2 poivrons jaunes ou orange
125 ml de vinaigrette nature
ou de vinaigrette aux fines herbes
6 oignons verts, finement hachés
1 cuil. à soupe de câpres en saumure, rincées
200 g de fromage de chèvre, sans la croûte
persil plat frais haché, en garniture

Préchauffer le four à haute température. Répartir les poivrons dans un plat et les passer au gril 8 à 10 minutes, à 10 cm de la source de chaleur, en les retournant souvent, jusqu'à ce qu'ils soient uniformément grillés. Transférer les poivrons dans une terrine, couvrir d'un torchon humide et laisser tiédir.

Peler les poivrons à l'aide d'un petit couteau. En procédant au-dessus d'un bol pour recueillir le jus, couper les poivrons en deux, les évider, les épépiner et couper la chair en fines lanières.

Répartir les lanières de poivron dans un plat de service, les arroser du jus recueilli et les parsemer d'oignons verts, de câpres et de fromage de chèvre émietté. Couvrir et réserver au réfrigérateur jusqu'au moment de servir. Garnir de persil et servir.

Salade de fèves

Pour 4 personnes

Ingrédients

1,3 kg de jeunes fèves fraîches
ou 675 g de jeunes fèves surgelées
150 g de feta
1 botte d'oignons verts, coupés en fines rondelles
2 cuil. à soupe d'aneth ou de menthe frais hachés
2 œufs durs, coupés en quartiers
pain frais
yaourt à la grecque, en accompagnement (facultatif)

Sauce

6 cuil. à soupe d'huile d'olive vierge extra
zeste râpé d'un citron et 2 cuil. à soupe de jus de citron
1 petite gousse d'ail, écrasée
1 pincée de sucre
poivre

Pour la sauce, émulsionner l'huile avec le zeste et le jus de citron, l'ail, le sucre et le poivre dans un petit bol. Réserver.

Monder les fèves fraîches et les cuire 5 à 10 minutes à l'eau bouillante salée, jusqu'à ce qu'elles soient tendres. Avec des fèves surgelées, compter 4 à 5 minutes de cuisson à l'eau bouillante salée. Égoutter les fèves et les mettre dans un saladier.

Battre la sauce et la verser sur les fèves encore chaudes. Émietter la feta dans le saladier, ajouter les oignons verts et mélanger. Garnir d'aneth et ajouter les œufs durs.

Servir chaud accompagné de pain frais et éventuellement de yaourt à la grecque.

Salade de tomates à la mexicaine

Pour 4 personnes

Ingrédients

600 g de tomates, pelées, épépinées et grossièrement hachées
1 oignon, coupé en fines rouelles
400 g de haricots rouges en boîte, égouttés et rincés

Sauce

1 piment vert frais, épépiné et coupé en dés
3 cuil. à soupe de coriandre fraîche hachée
3 cuil. à soupe d'huile d'olive
1 gousse d'ail, finement hachée
4 cuil. à soupe de jus de citron vert
sel et poivre

Mettre les tomates et l'oignon dans un grand saladier et bien mélanger. Incorporer les haricots rouges.

Mélanger le piment, la coriandre, l'huile d'olive, l'ail et le jus de citron dans un pichet, saler et poivrer.

Verser la sauce sur la salade et bien mélanger. Servir immédiatement ou couvrir de film alimentaire et réserver au réfrigérateur.

Salade de nouilles à la mode thaïlandaise

Pour 4 personnes

Ingrédients

25 g d'oreilles de Judas déshydratées
55 g de champignons noirs séchés
115 g de nouilles de riz
115 g de viande de porc hachée cuite
115 g de crevettes crues décortiquées
5 piments rouges frais, épépinés et coupés en fines rondelles
1 cuil. à soupe de coriandre fraîche hachée
3 cuil. à soupe de sauce de nuoc-mâm
3 cuil. à soupe de jus de citron vert
1 cuil. à soupe de sucre roux

Mettre les oreilles de Judas et les champignons chinois dans des bols séparés, les couvrir d'eau bouillante et laisser tremper 30 minutes. Après 20 minutes, mettre les nouilles dans un troisième bol, les couvrir d'eau chaude et laisser tremper 10 minutes, ou procéder selon les instructions figurant sur le paquet.

Égoutter les oreilles de Judas, bien les rincer et les couper en petits morceaux. Égoutter les champignons chinois, les presser de façon à exprimer le plus d'eau possible. Ôter les pieds et couper les chapeaux en petits morceaux. Couvrir le fond d'une casserole d'eau bouillante, porter à ébullition et ajouter le porc, les crevettes, les oreilles de Judas et les champignons chinois. Laisser mijoter 3 minutes sans cesser de remuer, jusqu'à ce que les crevettes soient cuites. Bien égoutter. Égoutter les nouilles et les couper en tronçons à l'aide de ciseaux de cuisine.

Mettre les piments, la coriandre, le nuoc-mâm, le jus de citron vert et le sucre roux dans un saladier et mélanger jusqu'à ce que le sucre soit dissous. Ajouter les nouilles et la préparation à base de crevettes, bien mélanger le tout et servir.

Salade de haricots à la patate douce

Pour 4 personnes

Ingrédients

1 patate douce
4 petites carottes, coupées en deux
4 tomates
4 branches de céleri, hachées
225 g de haricots borlotti en boîte, égouttés et rincés
115 g de mesclun, contenant frisée, roquette, trévise et feuille de chêne par exemple
1 cuil. à soupe de raisins secs
4 oignons verts, émincés en biais

Sauce

2 cuil. à soupe de jus de citron
1 gousse d'ail, écrasée
150 ml de yaourt nature
2 cuil. à soupe d'huile d'olive
sel et poivre

Peler la patate douce et la couper en dés. Porter une casserole d'eau à ébullition à feu moyen, ajouter la patate douce et cuire 10 minutes, jusqu'à ce qu'elle soit tendre. Égoutter, transférer dans une terrine et réserver.

Blanchir les carottes 1 minute à l'eau bouillante salée, égoutter et ajouter à la patate douce. Ôter le pédoncule et la base des tomates, les épépiner et hacher la chair. Ajouter les tomates hachées dans la terrine avec le céleri et les haricots. Bien mélanger le tout.

Chemiser un grand saladier de mesclun et garnir du mélange à base de patate douce, de raisins secs et d'oignons verts.

Mettre tous les ingrédients de la sauce dans un bocal muni d'un couvercle, saler et poivrer. Bien secouer le tout, verser sur la salade et servir.

Salade de semoule à la feta et aux framboises

Pour 6 personnes

Ingrédients

350 g de semoule pour couscous
600 ml de bouillon de poule ou de légumes bouillant
350 g de framboises fraîches
1 petite botte de basilic frais
225 g de feta, coupée en dés ou émiettée
2 courgettes, coupées en rondelles fines
4 oignons verts, parés et émincés en biais
55 g de pignons, grillés
zeste râpé d'un citron

Vinaigrette

1 cuil. à soupe de vinaigre de vin blanc
1 cuil. à soupe de vinaigre balsamique
4 cuil. à soupe d'huile d'olive vierge extra
jus d'un citron
sel et poivre

Mettre la semoule dans une terrine résistant à la chaleur et ajouter le bouillon. Bien mélanger, couvrir et laisser reposer jusqu'à ce que tout le bouillon ait été absorbé.

Trier les framboises et ciseler les feuilles de basilic.

Transférer la semoule dans un grand saladier et mélanger de façon à briser les grumeaux. Ajouter le fromage, les courgettes, les oignons verts, les framboises et les pignons. Incorporer le basilic et le jus de citron, et bien mélanger le tout.

Mettre les ingrédients de la vinaigrette dans un bocal muni d'un couvercle, ajouter du sel et du poivre, et bien secouer le tout. Verser la vinaigrette sur la salade, bien mélanger et servir.

Salade de pâtes aux poires et au bleu

Pour 4 personnes

Ingrédients

250 g de trulli
1 tête de trévise, ciselée
1 feuille de chêne, ciselée
2 poires
1 cuil. à soupe de jus de citron
250 g de stilton, coupé en dés
55 g de noix concassées
4 tomates, coupées en quartiers
1 oignon rouge, émincé
1 carotte, râpée
8 feuilles de basilic frais
55 g de mâche

Sauce

4 cuil. à soupe d'huile d'olive
2 cuil. à soupe de jus de citron
sel et poivre

Porter une casserole d'eau salée à ébullition, ajouter les pâtes et laisser revenir à ébullition. Cuire 8 à 10 minutes, jusqu'à ce que les pâtes soient al dente. Égoutter, rafraîchir à l'eau courante et égoutter de nouveau.

Mettre la trévise et la feuille de chêne dans un saladier. Couper les poires en deux, les évider et couper la chair en dés. Enduire les dés de poires d'une cuillerée à soupe de jus de citron de sorte qu'ils ne s'oxydent pas. Ajouter le fromage, les noix, les poires, les pâtes, les tomates, les oignons et la carotte dans le saladier. Incorporer le basilic et la mâche.

Pour la sauce, émulsionner l'huile d'olive avec le jus de citron, saler et poivrer. Verser la sauce dans le saladier, mélanger et servir.

Salade et sa sauce à l'ail

Pour 4 personnes

Ingrédients

85 g de concombre, coupé en bâtonnets
6 oignons verts, coupés en deux
2 tomates, épépinées et coupées en 8 quartiers
1 poivron jaune, épépiné et coupé en lanières
2 branches de céleri, coupées en bâtonnets
4 radis, coupés en quartiers
85 g de roquette
1 cuil. à soupe de menthe fraîche hachée, en garniture (facultatif)

Sauce

2 cuil. à soupe de jus de citron
1 gousse d'ail, écrasée
150 ml de yaourt nature
2 cuil. à soupe d'huile d'olive
sel et poivre

Pour la salade, mélanger les bâtonnets de concombre, les oignons verts, les quartiers de tomates, les lanières de poivron jaune, le céleri, les radis et la roquette dans un grand saladier.

Pour la sauce, mélanger le jus de citron, l'ail, le yaourt nature et l'huile d'olive dans un petit bol. Saler et poivrer à volonté.

Ajouter la sauce dans le saladier, bien mélanger et garnir éventuellement de menthe fraîche hachée. Servir immédiatement.

Salade de pâtes chaude

Pour 4 personnes

Ingrédients

225 g de farfalles ou autres pâtes sèches
6 tomates séchées à l'huile d'olive, égouttées et hachées
4 oignons verts, hachés
55 g de roquette, ciselée
½ concombre, épépiné et coupé en dés
sel et poivre

Vinaigrette

4 cuil. à soupe d'huile d'olive
1 cuil. à soupe de vinaigre de vin blanc
½ cuil. à café de sucre en poudre
1 cuil. à café de moutarde de Dijon
sel et poivre
4 feuilles de basilic frais, finement ciselées

Pour la vinaigrette, émulsionner l'huile d'olive avec le vinaigre, le sucre et la moutarde dans un pichet. Saler, poivrer et incorporer le basilic.

Porter une casserole d'eau salée à ébullition, ajouter les pâtes et laisser revenir à ébullition. Cuire 8 à 10 minutes, jusqu'à ce que les pâtes soient al dente. Égoutter, transférer dans un saladier et incorporer la sauce.

Ajouter les tomates, les oignons verts, la roquette et le concombre, saler et poivrer. Bien mélanger le tout et servir chaud.

Salade italienne

Pour 4 personnes

Ingrédients

225 g d'orechiette
50 g de pignons
350 g de tomates cerises, coupées en deux
1 poivron rouge, épépiné et coupé en morceaux
1 oignon rouge, haché
200 g de mozzarella de bufflonne, coupée en dés
12 olives noires, dénoyautées
25 g de feuilles de basilic frais
copeaux de parmesan, en garniture
pain frais, en accompagnement

Vinaigrette

5 cuil. à soupe d'huile d'olive vierge extra
2 cuil. à soupe de vinaigre balsamique
1 cuil. à soupe de basilic frais haché
sel et poivre

Porter une casserole d'eau salée à ébullition, ajouter les pâtes et cuire 10 minutes à feu moyen, jusqu'à ce qu'elles soient al dente. Égoutter, rincer à l'eau courante et égoutter de nouveau. Laisser refroidir.

Faire griller les pignons à sec 1 à 2 minutes dans une poêle antiadhésive, jusqu'à ce qu'ils soient dorés. Retirer la poêle du feu, transférer dans un bol et laisser refroidir.

Pour la vinaigrette, émulsionner l'huile avec le vinaigre et le basilic dans un petit bol. Saler, poivrer et bien mélanger. Couvrir de film alimentaire et réserver.

Répartir les pâtes dans de grands bols et ajouter les pignons, les tomates, le poivron rouge, l'oignon, le fromage et les olives. Parsemer de basilic, arroser de vinaigrette et garnir de copeaux de parmesan. Servir accompagné de pain frais.

Salade de pommes de terre

Pour 4 personnes

Ingrédients

700 g de pommes de terre nouvelles
8 oignons verts
250 ml de mayonnaise
1 cuil. à café de paprika
sel et poivre
2 cuil. à soupe de ciboulette fraîche hachée
1 pincée de paprika, en garniture

Porter une grande casserole d'eau salée à ébullition, ajouter les pommes de terre grattées au préalable et cuire 10 à 15 minutes, jusqu'à ce qu'elles soient juste tendres.

Égoutter les pommes de terre, les passer sous l'eau courante jusqu'à ce qu'elles soient froides et égoutter de nouveau. Transférer les pommes de terre dans une terrine et réserver.

À l'aide d'un couteau tranchant, couper finement les oignons verts en biais.

Mélanger la mayonnaise, le paprika, du sel et du poivre dans un bol. Verser le mélange obtenu sur les pommes de terre, ajouter les oignons verts et bien mélanger le tout.

Transférer la salade dans un saladier, garnir de ciboulette et d'une pincée de paprika, et couvrir. Réserver au réfrigérateur jusqu'au moment de servir.

Salade à la mode de Capri

Pour 4 personnes

Ingrédients

2 tomates cœur-de-bœuf
125 g de mozzarella
12 olives noires
8 feuilles de basilic frais
1 cuil. à soupe de vinaigre balsamique
1 cuil. à soupe d'huile d'olive vierge extra
sel et poivre
feuilles de basilic frais, en garniture

À l'aide d'un couteau tranchant, couper les tomates en fines rondelles. Égoutter la mozzarella et la couper en fines rondelles. Dénoyauter les olives et les couper en rondelles.

Alterner les rondelles de tomates, de mozzarella et d'olives et des feuilles de basilic, en terminant par une couche de fromage, pour obtenir 4 « millefeuilles » en tout.

Passer chaque millefeuille 2 à 3 minutes au gril, jusqu'à ce que la mozzarella ait fondu.

Arroser de vinaigre balsamique et d'huile d'olive, saler et poivrer.

Déposer les millefeuilles sur des assiettes et les garnir de quelques feuilles de basilic. Servir immédiatement.

Nourrissantes

Salades de viandes et volailles

Salade de poulet Waldorf

Pour 4 personnes

Ingrédients

500 g de pommes rouges, coupées en dés
3 cuil. à soupe de jus de citron
150 ml de mayonnaise
1 branche de céleri
4 échalotes, émincées
1 gousse d'ail, hachée
90 g de noix, concassées
500 g de blanc de poulet cuit, coupé en cubes
1 romaine
poivre
noix concassées, en garniture

Mettre les pommes dans un bol, ajouter le jus de citron et la mayonnaise, et laisser macérer 40 minutes.

Émincer finement le céleri. Ajouter le céleri, les échalotes, l'ail et les noix aux pommes, bien mélanger et incorporer la mayonnaise restante.

Ajouter le poulet et bien mélanger le tout.

Chemiser un saladier de feuilles de romaine, déposer le mélange à base de poulet au centre et saupoudrer de poivre. Garnir de noix concassées et servir immédiatement.

Salade du chef

Pour 6 personnes

Ingrédients

1 salade iceberg, ciselée
175 g de jambon cuit, coupé en fines lanières
175 g de langue cuite, coupée en fines lamelles
350 g de blanc de poulet cuit, coupé en fines lamelles
175 g de gruyère
4 tomates, coupées en quartiers
3 œufs durs, écalés et coupés en quartiers
400 ml de sauce cocktail
pain frais, en accompagnement

Déposer les feuilles de salade dans un saladier et ajouter les lanières de jambon et les lamelles de langue et de poulet.

Couper le gruyère en dés.

Déposer les dés de fromage sur la viande froide, ajouter les tomates et les œufs, et servir immédiatement, nappé de sauce cocktail et accompagné de pain frais.

Jambon de Parme avec son melon et ses asperges

Pour 4 personnes

Ingrédients

225 g d'asperges vertes

1 petit melon

55 g de jambon de Parme, coupé en fines tranches

150 g de mesclun

85 g de framboises fraîches

1 cuil. à soupe de copeaux de parmesan

Vinaigrette

1 cuil. à soupe de vinaigre balsamique

2 cuil. à soupe de vinaigre de framboise

2 cuil. à soupe de jus d'orange

Parer les asperges et couper les plus grandes en deux. Cuire les asperges 5 minutes à l'eau bouillante salée, jusqu'à ce qu'elles soient tendres. Égoutter, plonger dans de l'eau glacée et égoutter de nouveau. Réserver.

Couper le melon en deux et l'épépiner. Le couper en quartiers et ôter la peau. Séparer les tranches de jambon, les couper en deux et les enrouler autour des quartiers de melon.

Déposer le mesclun dans un saladier et ajouter les quartiers de melon et les asperges.

Parsemer de framboises et de copeaux de parmesan. Mettre les vinaigres et le jus d'orange dans un bocal muni d'un couvercle et secouer énergiquement. Verser la vinaigrette obtenue sur la salade et servir.

Salade de bœuf chaude à la mode niçoise

Pour 4 personnes

Ingrédients

4 filets de bœufs de 115 g chacun, dégraissés
2 cuil. à soupe de vinaigre de vin rouge
2 cuil. à soupe de jus d'orange
2 cuil. à café de moutarde forte
2 œufs
175 g de pommes de terre nouvelles
115 g de haricots verts, parés
175 g de mesclun, pousses d'épinards, roquette et mizuna, par exemple
1 poivron jaune, pelé, mondé et coupé en lanières
175 g de tomates cerises, coupées en deux
olives noires dénoyautées, en garniture (facultatif)
2 cuil. à café d'huile d'olive vierge extra
poivre

Mettre les filets de viande dans un plat peu profond. Mélanger le vinaigre avec 1 cuillerée à soupe de jus d'orange et 1 cuillerée à café de moutarde. Verser le mélange obtenu sur la viande, couvrir et laisser mariner 30 minutes au réfrigérateur.

Mettre les œufs dans une casserole, couvrir d'eau froide et porter à ébullition. Réduire le feu et cuire 10 minutes. Égoutter les œufs, les plonger dans de l'eau glacée et laisser refroidir. Écaler et réserver.

Pendant ce temps, mettre les pommes de terre dans une casserole, les couvrir d'eau froide et porter à ébullition. Couvrir et laisser mijoter 15 minutes, jusqu'à ce qu'elles soient tendres. Égoutter et réserver.

Porter une casserole d'eau à ébullition, ajouter les haricots verts et cuire 5 minutes, jusqu'à ce qu'ils soient juste tendres. Égoutter, plonger dans de l'eau froide et égoutter de nouveau. Déposer le mesclun dans un saladier, ajouter les pommes de terre, les haricots verts, le poivron, les tomates cerises et les olives. Mélanger le jus d'orange et la moutarde restants avec l'huile d'olive et réserver.

Chauffer un gril jusqu'à ce qu'il soit fumant. Égoutter la viande et cuire sur le gril 3 à 5 minutes de chaque côté. Découper les filets en lamelles, les ajouter dans le saladier et arroser le tout de sauce.

Salade de poulet à la mode cajun

Pour 4 personnes

Ingrédients

4 blancs de poulet, de 140 g chacun
4 cuil. à café d'assaisonnement cajun
2 cuil. à café d'huile de tournesol (facultatif)
1 mangue mûre, pelée, dénoyautée et coupée en lamelles
200 g de mesclun
1 oignon rouge, détaillé en fines rondelles et coupé en deux
175 g de betterave cuite, coupée en dés
85 g de radis, émincés
55 g de cerneaux de noix
2 cuil. à soupe de graines de sésame, en garniture

Sauce

4 cuil. à soupe d'huile de noix
1 à 2 cuil. à café de moutarde de Dijon
1 cuil. à soupe de jus de citron
sel et poivre

Pratiquer 3 incisions en biais dans chaque blanc de poulet. Mettre le poulet dans un plat peu profond et l'enrober d'assaisonnement cajun. Couvrir et laisser mariner 30 minutes au réfrigérateur.

Enduire un gril en fonte d'huile de tournesol, le chauffer à feu vif jusqu'à ce que l'huile soit presque fumante et ajouter le poulet. Cuire 7 à 8 minutes de chaque côté, jusqu'à ce que le poulet soit bien cuit. Poursuivre la cuisson si le centre est encore rosé. Retirer le poulet du gril et réserver.

Mettre les lamelles de mangue dans le gril et cuire 2 minutes de chaque côté. Retirer du gril et réserver.

Pendant ce temps, déposer le mesclun dans un saladier et garnir d'oignon, de betterave, de radis et de cerneaux de noix.

Mettre l'huile de noix, la moutarde, le jus de citron, du sel et du poivre dans un bocal muni d'un couvercle et secouer de façon à bien émulsionner le tout. Arroser la salade de sauce.

Ajouter les lamelles de mangue et le poulet, parsemer de graines de sésame et servir.

Salade de rôti de bœuf

Pour 4 personnes

Ingrédients

750 g de filets de bœuf, dégraissés
poivre, à volonté
2 cuil. à café de sauce worcester
3 cuil. à soupe d'huile d'olive
400 g de haricots verts
100 g de petites pâtes, des orecchiettes par exemple
2 oignons rouges, finement émincés
1 grosse tête de trévise
50 g d'olives vertes, dénoyautées
50 g de noisettes, décortiquées et laissées entières

Vinaigrette

1 cuil. à café de moutarde de Dijon
2 cuil. à soupe de vinaigre de vin blanc
5 cuil. à soupe d'huile d'olive

Préchauffer le four à 220 °C (th. 7-8). Enduire le bœuf de poivre et de sauce worcester. Dans un plat à rôti, chauffer 2 cuillerées à soupe d'huile à feu vif sur le gaz, ajouter le bœuf et le saisir uniformément. Mettre le plat au four et cuire 30 minutes. Sortir la viande du four et la laisser refroidir.

Porter une grande casserole d'eau à ébullition, ajouter les haricots verts et cuire 5 minutes, jusqu'à ce qu'ils soient tendres. Retirer de l'eau à l'aide d'une écumoire, rafraîchir à l'eau courante et égoutter de nouveau. Transférer dans une grande terrine.

Porter l'eau des haricots verts de nouveau à ébullition, ajouter les pâtes et cuire 11 minutes, jusqu'à ce qu'elles soient al dente. Égoutter, remettre dans la casserole et incorporer l'huile restante.

Ajouter les pâtes aux haricots verts, incorporer les oignons, les feuilles de trévise, les olives et les noisettes, et transférer le tout dans un saladier. Garnir le tout de tranches de rôti de bœuf.

Émulsionner les ingrédients de la vinaigrette, les verser sur la salade et servir immédiatement, accompagné des tranches de rôti restantes.

Salade aux noix, aux poires et au lard grillé

Pour 4 personnes

Ingrédients

4 tranches de lard maigre
75 g de cerneaux de noix
2 poires, évidées et coupées en lamelles dans la longueur
1 cuil. à soupe de jus de citron
175 g de cresson, tiges dures retirées

Sauce

3 cuil. à soupe d'huile d'olive vierge extra
2 cuil. à soupe de jus de citron
½ cuil. à café de miel liquide
sel et poivre

Préchauffer le gril à haute température. Déposer le lard sur une grille chemisée de papier d'aluminium et le passer au gril jusqu'à ce qu'il soit bien doré et croustillant. Laisser refroidir et couper en dés de 1 cm.

Pendant ce temps, chauffer une poêle à feu moyen, ajouter les noix et les faire griller à sec 3 minutes en secouant souvent la poêle, jusqu'à ce qu'elles soient légèrement dorées. Laisser refroidir.

Enduire les poires de jus de citron de sorte qu'elles ne noircissent pas. Mettre le cresson, les noix, les poires et le lard dans un saladier.

Pour la sauce, émulsionner l'huile avec le jus de citron et le miel dans un bol. Saler, poivrer et verser le tout dans le saladier. Bien mélanger et servir.

Salade de foies de volaille

Pour 4 personnes

Ingrédients

mesclun

1 cuil. à soupe d'huile d'olive

1 petit oignon, finement haché

450 g de foies de poulet

1 cuil. à café d'estragon frais haché

1 cuil. à café de moutarde à l'ancienne

2 cuil. à soupe de vinaigre balsamique

sel et poivre

Répartir le mesclun dans 4 assiettes.

Dans une poêle antiadhésive, chauffer l'huile, ajouter l'oignon et cuire 5 minutes, jusqu'à ce qu'il soit tendre. Ajouter les foies, l'estragon et la moutarde, et cuire 3 à 5 minutes sans cesser de remuer, jusqu'à ce qu'ils soient tendres. Répartir le tout dans les assiettes.

Mettre le vinaigre, du sel et du poivre dans la poêle et chauffer sans cesser de remuer pour déglacer. Verser sur la salade et servir chaud.

Salade au jambon de Parme et aux artichauts

Pour 4 personnes

Ingrédients

275 g de cœurs d'artichauts à l'huile, égouttés
4 petites tomates
25 g de tomates séchées au soleil à l'huile d'olive, égouttées
40 g de jambon de Parme
25 g d'olives noires dénoyautées, coupées en deux
1 poignée de feuilles de basilic frais
pain frais, en accompagnement

Vinaigrette

3 cuil. à soupe d'huile d'olive
1 cuil. à soupe de vinaigre de vin blanc
1 gousse d'ail, hachée
1/2 cuil. à café de moutarde
1 cuil. à café de miel liquide
sel et poivre

Veiller à ce que les cœurs d'artichauts soient bien égouttés, les couper en quartiers et les mettre dans un saladier. Couper les tomates en quartiers. Détailler les tomates séchées et le jambon en fines lanières. Ajouter les tomates fraîches et séchées, le jambon et les olives dans le saladier.

Réserver quelques feuilles de basilic entières pour la garniture, ciseler les feuilles restantes et les ajouter dans le saladier.

Pour la vinaigrette, mettre tous les ingrédients dans un bocal muni d'un couvercle et secouer vigoureusement de façon à bien mélanger le tout.

Verser la vinaigrette sur la salade et mélanger. Garnir de feuilles de basilic et servir accompagné de pain frais.

Salade aux haricots beurre et ses saucisses épicées

Pour 2 personnes

Ingrédients

1 cuil. à soupe d'huile de tournesol
1 petit oignon, finement émincé
250 g de haricots cannellini en boîte, égouttés et rincés
1 cuil. à café de vinaigre balsamique
2 chorizos, coupés en biais en rondelles
1 petite tomate, coupée en dés
1 cuil. à café de harissa
85 g de mesclun

Dans une poêle antiadhésive, chauffer l'huile à feu moyen, ajouter l'oignon et cuire en remuant souvent jusqu'à ce qu'il soit tendre sans avoir doré. Ajouter les haricots et cuire encore 1 minute. Ajouter le vinaigre et bien mélanger. Réserver au chaud.

Pendant ce temps, chauffer une autre poêle à feu moyen, ajouter les rondelles de chorizo et les cuire en les retournant de temps en temps jusqu'à ce qu'elles soient légèrement dorées. Retirer de la poêle à l'aide d'une écumoire et égoutter sur du papier absorbant.

Incorporer la harissa aux dés de tomates. Répartir le mesclun dans 2 assiettes et ajouter le mélange à base de haricots et les rondelles de chorizo. Garnir de tomates piquantes et servir immédiatement.

Salade de riz à la dinde

Pour 4 personnes

Ingrédients

1 litre de bouillon de poule
175 g d'un mélange de riz long grain et de riz sauvage
2 cuil. à soupe d'huile de tournesol ou de maïs
225 g de blancs de dinde, dégraissés et coupés en lanières
225 g de pois mangetout
115 g de pleurotes, coupés en morceaux
55 g de pistaches décortiquées, concassées
2 cuil. à soupe de coriandre fraîche hachée
1 cuil. à soupe de ciboulette ciselée
sel et poivre
1 cuil. à soupe de vinaigre balsamique
ciboulette ciselée, en garniture

Réserver 3 cuillerées à soupe de bouillon et porter le bouillon restant à ébullition dans une grande casserole. Ajouter le riz et cuire 30 minutes, jusqu'à ce qu'il soit tendre. Égoutter et laisser tiédir.

Pendant ce temps, chauffer 1 cuillerée à soupe d'huile dans un wok préchauffé ou une grande poêle, ajouter la dinde et faire revenir 3 à 4 minutes à feu moyen, jusqu'à ce qu'elle soit cuite. Transférer la dinde dans un plat à l'aide d'une écumoire. Mettre les pois mangetout et les champignons dans le wok et faire revenir 1 minute. Ajouter le bouillon réservé, porter à ébullition et réduire le feu. Couvrir et laisser mijoter 3 à 4 minutes. Transférer les légumes dans le plat et laisser tiédir.

Mélanger le riz, la dinde, les pois mangetout, les champignons, les pistaches, la coriandre et la ciboulette, saler et poivrer. Arroser de l'huile restante et de vinaigre, garnir de ciboulette et servir chaud.

Salade de poulet fumé à la canneberge

Pour 4 personnes

Ingrédients

1 poulet fumé de 1,3 kg
115 g de canneberges déshydratées
2 cuil. à soupe de jus de pomme ou d'eau
200 g de petits pois
2 avocats mûrs
jus d'un demi-citron
4 cœurs de laitue
1 botte de cresson, parée
55 g de roquette

Sauce

2 cuil. à soupe d'huile d'olive
1 cuil. à soupe d'huile de noix
2 cuil. à soupe de jus de citron
1 cuil. à soupe de fines herbes fraîches hachées, persil et thym citron par exemple
sel et poivre

Prélever la chair du poulet et la couper en lanières. Séparer les hauts de cuisse des pilons et ébouter les ailes. Couvrir le tout de film alimentaire et réserver au réfrigérateur.

Mettre les canneberges dans un bol, ajouter le jus de pomme et couvrir de film alimentaire. Laisser macérer 30 minutes.

Pendant ce temps, blanchir les petits pois, les rafraîchir à l'eau courante et les égoutter.

Peler, dénoyauter et émincer les avocats. Enduire les morceaux de jus de citron de sorte qu'ils ne noircissent pas.

Séparer les feuilles des cœurs de laitue et en chemiser un saladier. Ajouter les avocats, les petits pois, le cresson, la roquette et le poulet.

Mettre tous les ingrédients de la sauce, du sel et du poivre dans un bocal muni d'un couvercle et bien secouer de façon à émulsionner le tout.

Égoutter les canneberges, les incorporer à la sauce et verser sur la salade. Servir immédiatement.

Salade de melon au chorizo et aux artichauts

Pour 8 personnes

Ingrédients

12 petits artichauts
jus d'un demi-citron
2 cuil. à soupe d'huile d'olive espagnole
1 petit melon à chair orange
200 g de chorizo, pelé
brins d'estragon ou de persil plat frais, en garniture

Vinaigrette

3 cuil. à soupe d'huile d'olive vierge extra espagnole
1 cuil. à soupe de vinaigre de vin rouge
1 cuil. à café de moutarde de Dijon
1 cuil. à soupe d'estragon frais haché
sel et poivre

Couper les artichauts en quartiers et les enduire de jus de citron de sorte qu'ils ne noircissent pas.

Dans une grande poêle à fond épais, chauffer l'huile, ajouter les artichauts et les faire revenir 5 minutes en remuant souvent, jusqu'à ce qu'ils soient bien dorés. Retirer de la poêle, transférer dans un saladier et laisser refroidir.

Pour préparer le melon, le couper en deux, l'épépiner et couper la chair en cubes. Ajouter les cubes de melon aux artichauts. Couper le chorizo en cubes et les ajouter dans le saladier.

Pour la vinaigrette, mettre tous les ingrédients dans un petit bol et émulsionner le tout. Juste avant de servir, verser la vinaigrette dans le saladier et bien mélanger le tout. Servir garni d'estragon ou de persil plat.

Salade de poulet et ses légumes du jardin

Pour 4 personnes

Ingrédients

750 g de pommes de terre nouvelles, grattées
1 poivron rouge, coupé en deux et épépiné
1 poivron vert, coupé en deux et épépiné
2 petites courgettes, coupées en rondelles
1 petit oignon, finement émincé
3 tomates, coupées en rondelles
350 g de poulet cuit, coupé en lamelles
ciboulette fraîche ciselée, en garniture

Sauce

150 ml de yaourt nature
3 cuil. à soupe de mayonnaise
1 cuil. à soupe de ciboulette fraîche hachée
sel et poivre

Mettre les pommes de terre dans une grande casserole, couvrir d'eau froide et porter à ébullition. Réduire le feu, couvrir et laisser mijoter 15 à 20 minutes, jusqu'à ce qu'elles soient tendres. Pendant ce temps, passer les demi-poivrons au gril chaud jusqu'à ce qu'ils aient noirci.

Retirer les poivrons du gril à l'aide de pinces, les mettre dans une terrine et couvrir de film alimentaire. Laisser tiédir, retirer la peau et émincer la chair.

Porter une petite casserole d'eau salée à ébullition, ajouter les courgettes et laisser revenir à ébullition. Laisser mijoter 3 minutes, égoutter et rincer à l'eau courante pour stopper la cuisson. Égoutter de nouveau et réserver.

Pour la sauce, battre le yaourt avec la mayonnaise et la ciboulette dans une terrine. Saler et poivrer à volonté.

Égoutter les pommes de terre, les laisser refroidir et les couper et tranches. Ajouter dans la terrine et mélanger. Répartir les pommes de terre dans des assiettes.

Garnir chaque assiette du quart des poivrons et des courgettes. Ajouter les oignons et les tomates, et surmonter le tout de poulet. Parsemer de ciboulette et servir immédiatement.

Salade de pâtes au rôti de bœuf

Pour 4 personnes

Ingrédients

450 g de rumsteck en une seule pièce
sel et poivre
450 g de fusillis
4 cuil. à soupe d'huile d'olive
2 cuil. à soupe de jus de citron vert
2 cuil. à soupe de nuoc-mâm
2 cuil. à café de miel liquide
4 oignons verts, émincés
1 concombre, pelé et coupé en tronçons de 2,5 cm
3 tomates, coupées en quartiers
1 cuil. à soupe de menthe fraîche finement hachée

Saler et poivrer la viande et la passer au gril 4 minutes de chaque côté. Laisser reposer 5 minutes et la couper en tranches perpendiculairement au sens de la fibre.

Pendant ce temps, porter une grande casserole d'eau salée à ébullition, ajouter les pâtes et laisser revenir à ébullition. Cuire 8 à 10 minutes, jusqu'à ce que les pâtes soient al dente. Égoutter, rafraîchir à l'eau courante et égoutter de nouveau. Incorporer l'huile d'olive et réserver.

Mélanger le jus de citron vert, le nuoc-mâm et le miel dans une petite casserole et chauffer 2 minutes à feu moyen.

Ajouter les oignons verts, le concombre, les tomates et la menthe, incorporer la viande, saler et poivrer.

Transférer les pâtes dans un saladier et garnir du mélange à base de viande. Servir juste chaud ou laisser complètement refroidir.

Salade de magrets de canard

Pour 4 personnes

Ingrédients

2 magrets de canard
2 petites romaines, ciselées
115 g de pousses de soja
1 poivron jaune, épépiné et coupé en lanières
½ concombre, épépiné et coupé en bâtonnets
2 cuil. à café de zeste de citron vert ciselé
2 cuil. à soupe de noix de coco râpée, grillée

Sauce

jus de 2 citrons verts
3 cuil. à soupe de nuoc-mâm
1 cuil. à soupe de sucre roux
2 cuil. à café de sauce au piment douce
1 morceau de gingembre de 2,5 cm, finement râpé
3 cuil. à soupe de menthe fraîche hachée
3 cuil. à soupe de basilic frais haché

Préchauffer le four à 200 °C (th. 6-7). Mettre les magrets sur une grille déposée sur une lèchefrite et cuire 20 à 30 minutes au four préchauffé, jusqu'à ce qu'ils soient cuits selon son goût et que la peau soit croustillante. Retirer du four et laisser refroidir.

Dans une grande terrine, mélanger la salade, les pousses de soja, le poivron et le concombre. Couper les magrets en tranches et les ajouter à la salade. Bien mélanger le tout.

Dans un bol, émulsionner le jus de citron vert le nuoc-mâm, le sucre, la sauce pimentée, le gingembre, la menthe et le basilic. Ajouter la sauce à la salade et bien mélanger.

Transférer la salade dans un saladier, garnir de zestes de citron vert et de noix de coco râpée, et servir immédiatement.

Salade chaude d'épinards aux champignons

Pour 4 personnes

Ingrédients

275 g de pousses d'épinards fraîches
2 cuil. à soupe d'huile d'olive
150 g de pancetta
280 g de champignons sauvages, émincés

Vinaigrette

5 cuil. à soupe d'huile d'olive
1 cuil. à soupe de vinaigre balsamique
1 cuil. à café de moutarde de Dijon
1 pincée de sucre
sel et poivre

Pour la vinaigrette, mettre l'huile d'olive, le vinaigre, la moutarde, le sucre, du sel et du poivre dans un petit bol et émulsionner le tout. Rincer les épinards à l'eau courante, les égoutter et les mettre dans un saladier.

Dans une grande poêle, chauffer l'huile, ajouter la pancetta et faire revenir 3 minutes. Ajouter les champignons et cuire 3 à 4 minutes, jusqu'à ce qu'ils soient tendres.

Verser la vinaigrette dans la poêle et transférer immédiatement tout le contenu de la poêle dans le saladier. Mélanger délicatement et servir sans attendre.

Épinards aux croûtons et aux lardons

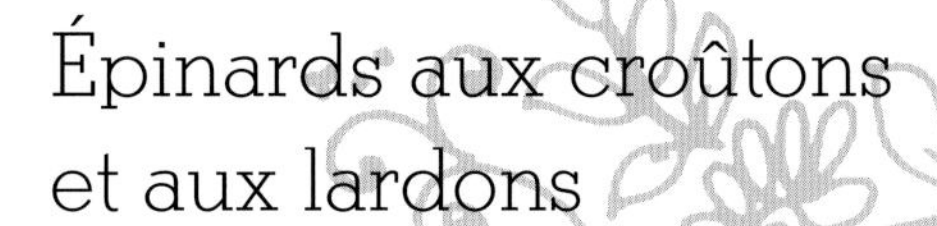

Pour 4 personnes

Ingrédients

4 cuil. à soupe d'huile d'olive
4 tranches de lard, coupées en dés
1 tranche épaisse de pain blanc, croûte retirée et coupée en dés
450 g d'épinards frais, ciselés

Dans une grande poêle, chauffer 2 cuillerées à soupe d'huile à feu vif, ajouter les dés de lard et cuire 3 à 4 minutes, jusqu'à ce qu'ils soient croustillants. Retirer de la poêle à l'aide d'une écumoire, égoutter sur du papier absorbant et réserver.

Enduire les dés de pain dans la matière grasse restée dans la poêle et faire revenir 4 minutes à feu vif, jusqu'à ce qu'ils soient dorés et croustillants. Retirer de la poêle à l'aide d'une écumoire, égoutter sur du papier absorbant et réserver.

Chauffer l'huile restante dans la poêle, ajouter les épinards et les faire revenir 3 minutes à feu vif, jusqu'à ce qu'ils soient juste flétris. Transférer dans un saladier, parsemer de croûtons et de lardons, et servir immédiatement.

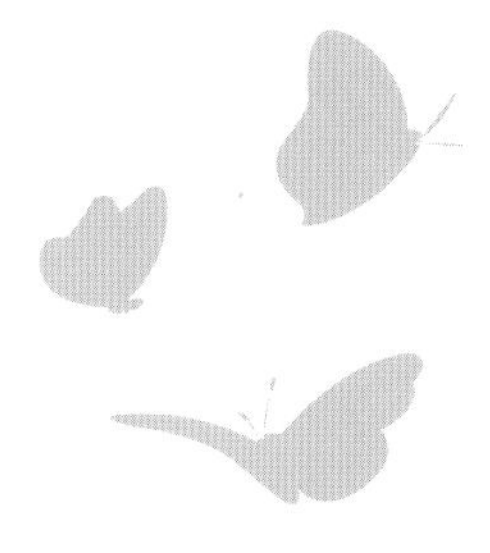

Salade de poulet à la mode thaïlandaise

Pour 4 personnes

Ingrédients

400 g de petites pommes de terre nouvelles, grattées et coupées en deux dans la longueur
200 g de mini-épis de maïs
150 g de pousses de soja
3 oignons verts, parés et émincés
4 blancs de poulet cuits, coupés en lamelles
1 cuil. à soupe de citronnelle hachée
2 cuil. à soupe de coriandre fraîche hachée
sel et poivre
quartiers de citron vert, en garniture
feuilles de coriandre fraîche, en garniture

Sauce

6 cuil. à soupe d'huile pimentée ou d'huile de sésame
2 cuil. à soupe de jus de citron vert
1 cuil. à soupe de sauce de soja claire
1 cuil. à soupe de coriandre fraîche hachée
1 petit piment rouge frais, épépiné et émincé

Porter deux casseroles d'eau à ébullition, mettre les pommes de terre dans l'une et cuire 15 minutes, jusqu'à ce qu'elles soient tendres. Mettre les mini-épis de maïs dans l'autre et cuire 5 minutes, jusqu'à ce qu'ils soient tendres. Égoutter les pommes de terre et les mini-épis de maïs et laisser refroidir.

Mettre les pommes de terre et le maïs dans un saladier, ajouter les pousses de soja, les oignons verts, le poulet, la citronnelle et la coriandre, saler et poivrer.

Pour la sauce, mettre tous les ingrédients dans un bocal muni d'un couvercle et secouer de façon à bien émulsionner le tout. Arroser la salade de sauce, garnir de quartiers de citron vert et de feuilles de coriandre, et servir immédiatement.

Salade de canard aux radis

Pour 4 personnes

Ingrédients

350 g de magrets de canard
2 cuil. à soupe de farine
sel et poivre
1 œuf
2 cuil. à soupe d'eau
2 cuil. à soupe de graines de sésame
3 cuil. à soupe d'huile de sésame
½ chou chinois, ciselé
3 branches de céleri, finement émincées
8 radis, parés et coupés en deux
feuilles de basilic frais, en garniture

Sauce

zeste finement râpé d'un citron vert
2 cuil. à soupe de jus de citron vert
2 cuil. à soupe d'huile d'olive
1 cuil. à soupe de sauce de soja claire
1 cuil. à soupe de basilic frais haché
sel et poivre

Mettre les magrets de canard entre 2 morceaux de film alimentaire et les attendrir à l'aide d'un maillet à viande ou d'un rouleau à pâtisserie.

Tamiser la farine dans une assiette, la saler et la poivrer. Battre l'œuf avec l'eau dans une terrine peu profonde. Répartir les graines de sésame dans une assiette.

Passer les magrets dans la farine, les plonger dans l'œuf battu et les enrober uniformément de graines de sésame. Chauffer l'huile dans un wok ou une grande poêle préchauffés.

Faire revenir les magrets 8 minutes à feu moyen en les retournant une fois. Pour vérifier la cuisson, piquer la pointe d'un couteau dans la partie la plus charnue d'un des magrets : le jus qui s'en écoule doit être clair. Retirer les magrets de la poêle et les égoutter sur du papier absorbant.

Pour la sauce, émulsionner tous les ingrédients ensemble avec du sel et du poivre.

Chemiser un saladier de chou chinois, ajouter le céleri et les radis. Couper les magrets perpendiculairement au sens de la fibre et les déposer sur la salade. Arroser de sauce, garnir de feuilles de basilic et servir immédiatement.

Salade de roquette au poulet et au bleu

Pour 4 personnes

Ingrédients

150 g de feuilles de roquette

2 branches de céleri, parées et émincées

1/2 concombre, coupé en rondelles

2 oignons verts, parés et émincés

2 cuil. à soupe de persil plat frais haché

25 g de cerneaux de noix

350 g de blancs de poulet rôti, coupés en lamelles

125 g de stilton, coupé en dés

1 poignée de grains de raisin rouge, coupés en deux (facultatif)

sel et poivre

Vinaigrette

2 cuil. à soupe d'huile d'olive

1 cuil. à soupe de vinaigre de xérès

1 cuil. à café de moutarde de Dijon

1 cuil. à soupe de fines herbes fraîches hachées

Laver la roquette, la sécher sur du papier absorbant et la mettre dans une terrine. Ajouter le céleri, le concombre, les oignons verts, le persil et les noix, et bien mélanger. Transférer le tout sur une grande assiette, garnir de poulet et parsemer de fromage. Ajouter les raisins, saler et poivrer.

Pour la vinaigrette, mettre tous les ingrédients dans un bocal muni d'un couvercle et bien émulsionner le tout. Arroser la salade de vinaigrette et servir immédiatement.

Agneau grillé et sa sauce au yaourt et aux fines herbes

Pour 4 personnes

Ingrédients

2 cuil. à soupe d'huile de tournesol, un peu plus pour graisser
1 cuil. à soupe de concentré de tomates
½ cuil. à soupe de cumin en poudre
1 cuil. à café de jus de citron
1 gousse d'ail, hachée
1 pincée de piment de Cayenne
sel et poivre
500 g de filets d'épaule d'agneau, dégraissés
graines de sésame grillées et persil plat frais haché, en garniture

Sauce

2 cuil. à soupe de jus de citron
1 cuil. à café de miel liquide
75 g de yaourt à la grecque
2 cuil. à soupe de menthe fraîche ciselée
2 cuil. à soupe de persil plat frais haché
1 cuil. à soupe de ciboulette fraîche hachée
sel et poivre

Mélanger l'huile, le concentré de tomates, le cumin, le jus de citron, l'ail, le piment de Cayenne, du sel et du poivre dans une terrine non métallique. Ajouter les filets d'agneau, les enduire de marinade et couvrir. Laisser mariner 2 heures à une nuit au réfrigérateur.

Pendant ce temps, pour la sauce, battre le jus de citron avec le miel jusqu'à ce que le miel soit dissous, incorporer le yaourt et ajouter les fines herbes. Saler et poivrer à volonté, couvrir et réserver au réfrigérateur.

Retirer la viande du réfrigérateur 15 minutes avant d'entamer la cuisson. Préchauffer le gril à haute température et huiler la grille. Passer l'agneau au gril en le tournant une fois, 10 minutes pour une viande à point et 12 minutes pour une viande bien cuite. Laisser l'agneau refroidir complètement, couvrir et réserver au réfrigérateur.

Couper les filets d'agneau en fines tranches, les répartir dans 4 assiettes. Rectifier l'assaisonnement de la sauce, en napper la viande et parsemer de graines de sésame et de persil. Servir immédiatement.

Salade de poulet et sa sauce aux avocats et à l'estragon

Pour 4 à 6 personnes

Ingrédients

2 grosses tomates cœur-de-bœuf juteuses, coupées en rondelles
600 g de poulet grillé, sans la peau, coupé en lamelles
250 g de cresson frais, tiges dures ou jaunes retirées, rincé et séché
75 g de pousses de soja fraîches, mises à tremper 20 minutes dans de l'eau froide, égouttées et séchées
feuilles de coriandre ou de persil, en garniture

Sauce

1 avocat bien mûr
2 cuil. à soupe de jus de citron
1 cuil. à soupe de vinaigre d'estragon
75 g de yaourt à la grecque
1 petite gousse d'ail, hachée
1 cuil. à soupe de feuilles d'estragon frais haché
sel et poivre

Pour la sauce, mettre l'avocat, le jus de citron et le vinaigre dans un robot de cuisine et réduire jusqu'à obtention d'une consistance homogène. Ajouter le yaourt, l'ail et l'estragon, et mixer le tout. Saler et poivrer à volonté, transférer dans un bol et couvrir de film alimentaire. Mettre 2 heures au réfrigérateur.

Pour assembler la salade, répartir les rondelles de tomates dans 4 à 6 assiettes. Mélanger le poulet, le cresson, les pousses de soja et le persil, et répartir le mélange obtenu sur les tomates.

Rectifier la sauce, en napper la salade et servir.

Salade de potiron au rôti de porc

Pour 4 à 6 personnes

Ingrédients

1 petit potiron d'environ 1,6 kg, coupé en deux et épépiné
2 oignons rouges, coupés en quartiers
huile d'olive
100 g de haricots verts, éboutés et coupés en deux
600 g de rôti de porc, dégraissé et coupé en petites lamelles
1 poignée de roquette fraîche
100 g de feta, égouttée et émiettée
2 cuil. à soupe de pignons grillés
2 cuil. à soupe de persil frais haché
sel et poivre

Vinaigrette

6 cuil. à soupe d'huile d'olive vierge extra
3 cuil. à soupe de vinaigre balsamique
½ cuil. à café de sucre
½ cuil. à café de moutarde de Dijon ou à l'ancienne
sel et poivre

Préchauffer le four à 200 °C (th. 6-7). Détailler le potiron en quartiers de 4 cm de largeur. Enduire très légèrement les quartiers de potiron et d'oignons d'huile d'olive, les mettre dans un plat allant au four et cuire 25 à 30 minutes au four préchauffé, jusqu'à ce que le potiron et les oignons soient tendres, sans se déliter.

Pendant ce temps, porter une petite casserole d'eau salée à ébullition, ajouter les haricots verts et les blanchir 5 minutes, jusqu'à ce qu'ils soient tendres. Égoutter et rafraîchir à l'eau courante de façon à stopper la cuisson. Égoutter de nouveau et sécher.

Sortir le potiron et les oignons du four dès qu'ils sont légèrement croustillants et les laisser refroidir. Peler les quartiers de potiron et les couper en cubes.

Pour la vinaigrette, mettre l'huile, le vinaigre, le sucre, la moutarde, du sel et du poivre dans un bocal muni d'un couvercle et secouer vigoureusement de façon à bien émulsionner le tout.

Pour assembler la salade, mettre le potiron, les oignons, les haricots verts, le porc, la roquette, la feta, les pignons et le persil dans une terrine, bien mélanger en veillant à ne pas briser les morceaux de potiron et incorporer la vinaigrette. Répartir la salade dans des assiettes et servir immédiatement.

Poulet rôti et sa salade à la crème de pesto

Pour 4 à 6 personnes

Ingrédients

600 g de blanc de poulet cuit, dégraissé et coupé en cubes
3 branches de céleri, émincées
2 gros poivrons rouges en bocal, bien égouttés et émincés
sel et poivre
feuilles de salade iceberg, en accompagnement

Crème de pesto

150 ml de crème fraîche épaisse
4 cuil. à soupe de pesto en bocal, un peu plus si nécessaire

Pour la crème de pesto, mettre la crème fraîche dans une grande terrine et incorporer 4 cuillerées à soupe de pesto – goûter et en ajouter si nécessaire.

Ajouter le poulet, le céleri et les poivrons dans la terrine et bien mélanger le tout. Saler, poivrer et mélanger de nouveau. Couvrir et réserver au réfrigérateur.

Sortir la salade du réfrigérateur 10 minutes avant de servir. Mélanger une dernière fois et répartir dans les assiettes sur des feuilles de salade.

Raffinées

Salades de poissons et fruits de mer

Salade niçoise

Pour 4 personnes

Ingrédients

2 steaks de thon de 2 cm d'épaisseur
huile d'olive
sel et poivre
250 g de haricots verts, éboutés
125 ml de vinaigrette nature ou à l'ail
2 cœurs de laitues, feuilles séparées
3 gros œufs durs, coupés en quartiers
2 tomates bien mûres, coupées en quartiers
50 g de filets d'anchois à l'huile, égouttés
55 g d'olives noires, dénoyautées

Chauffer un gril en fonte à feu vif jusqu'à ce que de la chaleur émane de la surface. Huiler les steaks de thon, les déposer dans le gril et cuire 2 minutes. Retourner à l'aide de pinces, saler et poivrer. Cuire encore 2 minutes pour un poisson rosé et 4 minutes pour un poisson bien cuit. Laisser refroidir.

Pendant ce temps, porter une casserole d'eau salée à ébullition, ajouter les haricots verts et laisser revenir à ébullition. Cuire 3 minutes, jusqu'à ce qu'ils soient al dente. Égoutter et transférer immédiatement dans une grande terrine. Ajouter la vinaigrette, mélanger et laisser refroidir.

Pour servir, chemiser un plat de service de feuilles de laitue. Égoutter les haricots verts de la vinaigrette et les déposer au centre du plat. Couper le thon en gros morceaux et les déposer sur les haricots. Ajouter les œufs durs et les tomates sur le pourtour. Garnir d'anchois, parsemer d'olives et arroser de la vinaigrette restée dans la terrine. Servir immédiatement.

Salade de lentilles au thon

Pour 4 personnes

Ingrédients

2 tomates mûres
1 petit oignon rouge
400 g de lentilles en boîte, égouttées
185 g de thon en boîte, égoutté
2 cuil. à soupe de coriandre fraîche hachée
poivre

Sauce

3 cuil. à soupe d'huile d'olive vierge
1 cuil. à soupe de jus de citron
1 cuil. à café de moutarde à l'ancienne
1 gousse d'ail, hachée
$1/2$ cuil. à café de cumin en poudre
$1/2$ cuil. à café de coriandre en poudre

À l'aide d'un couteau tranchant, épépiner les tomates et concasser la chair. Hacher finement l'oignon rouge.

Pour la sauce, émulsionner l'huile avec le jus de citron, l'ail, la moutarde, le cumin et la coriandre en poudre dans un petit bol. Réserver.

Mélanger l'oignon haché, les tomates et les lentilles dans un grand saladier.

Émietter le thon à l'aide d'une fourchette et l'incorporer dans le saladier. Ajouter la coriandre fraîche et bien mélanger.

Verser la sauce dans le saladier, poivrer à volonté et servir immédiatement.

Salade de thon aux deux haricots

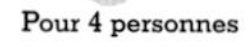

Pour 4 personnes

Ingrédients

200 g de haricots verts
400 g de haricots blancs en boîte, rincés et égouttés
4 oignons verts, finement hachés
2 steaks de thon frais, de 225 g chacun et de 2 cm d'épaisseur
huile d'olive, pour graisser
sel et poivre
250 g de tomates cerises, coupées en deux
feuilles de salade
brins de menthe et de persil frais, en garniture

Vinaigrette

1 poignée de feuilles de menthe fraîche, ciselée
1 poignée de feuilles de persil frais, ciselées
1 gousse d'ail, hachée
4 cuil. à soupe d'huile d'olive vierge extra
1 cuil. à soupe de vinaigre de vin rouge
sel et poivre

Pour la vinaigrette, mettre les feuilles de menthe et de persil, l'ail, l'huile d'olive et le vinaigre dans un bocal muni d'un couvercle, ajouter du sel et du poivre, et secouer de façon à émulsionner le tout. Verser la vinaigrette dans une grande terrine et réserver.

Porter une casserole d'eau salée à ébullition, ajouter les haricots verts et cuire 3 minutes. Ajouter les haricots blancs et cuire encore 4 minutes, jusqu'à ce que les haricots verts soient al dente et les haricots blancs bien chauds. Égoutter, ajouter dans la terrine et incorporer les oignons.

Chauffer un gril en fonte à feu vif. Enduire les steaks de thon d'huile, saler et poivrer. Cuire les steaks 2 minutes dans le gril, les retourner et cuire encore 2 minutes pour un poisson rosé et 4 minutes pour un poisson bien cuit.

Retirer le thon de la poêle et laisser reposer 2 minutes, ou laisser refroidir complètement. Au moment de servir, ajouter les tomates dans la terrine et mélanger. Chemiser un saladier de feuilles de salade, déposer le mélange à base de haricots au centre et ajouter le thon. Servir chaud ou à température ambiante, garni de fines herbes.

Salade de légumes frais au thon

Pour 4 personnes

Ingrédients

12 tomates cerises, coupées en deux
225 g de haricots verts, coupés en tronçons de 2,5 cm
225 g de courgettes, coupées en fines rondelles
225 g de champignons de Paris, finement émincés
feuilles de salade verte
350 g de thon en saumure, égoutté et émietté
persil frais, en garniture

Sauce

4 cuil. à soupe de mayonnaise
4 cuil. à soupe de yaourt nature
2 cuil. à soupe de vinaigre de vin blanc
sel et poivre

Pour la sauce, mettre la mayonnaise, le yaourt, le vinaigre, du sel et du poivre dans un bocal muni d'un couvercle et secouer de façon à émulsionner le tout.

Mettre les tomates, les haricots préalablement blanchis, les courgettes et les champignons dans une terrine, ajouter la sauce et laisser mariner 1 heure.

Chemiser un saladier de feuilles de salade, ajouter les légumes et le thon, et garnir de persil.

Salade de crevettes à la mangue

Pour 4 personnes

Ingrédients

2 mangues
225 g de crevettes cuites décortiquées
feuilles de salade, en accompagnement
4 crevettes cuites non décortiquées, en garniture

Sauce

jus des mangues
6 cuil. à soupe de yaourt nature
2 cuil. à soupe de mayonnaise
1 cuil. à soupe de jus de citron
sel et poivre

Couper la mangue en deux de chaque côté du noyau. Sans percer la peau, couper la chair des demi-mangues en dés. Pousser la peau des demi-mangues pour faire ressortir les dés de chair et détacher ceux-ci de la peau à l'aide d'un couteau tranchant. Détailler en dés la chair restée attachée au noyau. Réserver le jus recueilli dans un bol et la mangue dans une terrine.

Ajouter les crevettes dans la terrine. Ajouter le yaourt, la mayonnaise, le jus de citron, du sel et du poivre au jus de mangue réservé et bien mélanger le tout.

Répartir les feuilles de salade dans un plat de service et ajouter le mélange à base de mangue. Napper de sauce et servir garni de crevettes non décortiquées.

Salade de saumon à l'avocat

Pour 4 personnes

Ingrédients

450 g de pommes de terre nouvelles
4 steaks de saumon, d'environ 115 g chacun
1 avocat
jus d'un demi-citron
55 g de pousses d'épinards
125 g de mesclun, contenant du cresson
12 tomates cerises, coupées en deux
55 g de noix concassées

Sauce

3 cuil. à soupe de jus de pomme sans sucre ajouté
1 cuil. à café de vinaigre balsamique
poivre noir du moulin

Couper les pommes de terre nouvelles en dés, les mettre dans une casserole et les couvrir d'eau. Porter à ébullition, réduire le feu et couvrir. Laisser mijoter 10 à 15 minutes, jusqu'à ce qu'elles soient tendres. Égoutter et réserver au chaud.

Pendant ce temps, préchauffer le gril à température moyenne. Passer les steaks de saumon au gril 10 à 15 minutes, selon l'épaisseur des steaks, en les retournant à mi-cuisson. Retirer du gril et réserver au chaud.

Couper l'avocat en deux, le dénoyauter et peler la chair. Couper les demi-avocats en lamelles et les enduire de jus de citron de sorte qu'elles ne noircissent pas.

Mélanger les pousses d'épinards et le mesclun, et répartir le mélange dans des assiettes. Déposer 6 demi-tomates cerises dans chaque assiette.

Ôter la peau et les arêtes du saumon, l'émietter et le répartir dans les assiettes. Ajouter les pommes de terre et garnir de noix.

Pour la sauce, mélanger le jus de pomme et le vinaigre, poivrer et verser sur la salade. Servir immédiatement.

Crevettes à la noix de coco et au concombre

Pour 4 personnes

Ingrédients

200 g de riz basmati brun
1/2 cuil. à café de graines de coriandre
2 blancs d'œufs, légèrement battus
100 g de noix de coco déshydratée non sucrée
24 gambas crues, décortiquées
1/2 concombre
4 oignons verts, finement émincés dans la longueur
1 cuil. à café d'huile de sésame
1 cuil. à soupe de coriandre fraîche finement hachée

Porter une grande casserole d'eau à ébullition, ajouter le riz et cuire 25 minutes, jusqu'à ce qu'il soit tendre. Égoutter et réserver dans une passoire, couvert d'un torchon qui absorbera la vapeur.

Pendant ce temps, mettre à tremper 8 brochettes en bois dans de l'eau froide 30 minutes et égoutter. Piler les graines de coriandre dans un mortier. Chauffer une poêle antiadhésive à feu moyen, ajouter les graines de coriandre et cuire sans cesser de remuer jusqu'à ce qu'elles commencent à dorer. Transférer sur une assiette et réserver.

Mettre les blancs d'œufs dans une terrine et la noix de coco dans un grand bol. Passer les crevettes dans le blanc d'œuf puis les enrober de noix de coco. Piquer les crevettes sur les brochettes.

Préchauffer le gril à haute température. À l'aide d'un économe, détailler le concombre en fins rubans, les égoutter dans une passoire et transférer dans une terrine. Ajouter les oignons verts et l'huile, bien mélanger et réserver.

Passer les brochettes au gril 3 à 4 minutes de chaque côté, jusqu'à ce qu'elles soient légèrement dorées.

Incorporer les graines de coriandre et la coriandre fraîche au riz, répartir dans des assiettes et ajouter le concombre. Servir en accompagnement des brochettes.

Salade de thon à l'avocat

Pour 4 personnes

Ingrédients

2 avocats, dénoyautés, pelés et coupés en cubes
250 g de tomates cerises, coupées en deux
2 poivrons rouges, épépinés et hachés
persil plat
2 gousses d'ail, hachées
1 piment rouge frais, épépiné et finement haché
jus d'un demi-citron
6 cuil. à soupe d'huile d'olive
poivre
3 cuil. à soupe de graines de sésame
4 steaks de thon frais, d'environ 150 g chacun
8 pommes de terre nouvelles cuites, coupées en cubes
feuilles de roquette et pain frais, en accompagnement

Dans une terrine, mélanger les avocats, les tomates, les poivrons, le persil, l'ail, le piment, le jus de citron et 2 cuillerées à soupe d'huile, poivrer et couvrir. Laisser mariner 30 minutes au réfrigérateur.

Piler les graines de sésame dans un mortier. Étaler les graines pilées sur une assiette et presser chaque steak de thon sur les graines de sorte qu'il en soit uniformément enrobé.

Dans une poêle, chauffer 2 cuillerées à soupe d'huile, ajouter les pommes de terre et cuire 5 à 8 minutes en remuant souvent, jusqu'à ce qu'elles soient croustillantes et dorées. Retirer de la poêle et égoutter sur du papier absorbant.

Nettoyer la poêle, chauffer l'huile restante à feu vif, ajouter les steaks de thon et cuire 3 à 4 minutes de chaque côté.

Répartir la salade d'avocats dans 4 assiettes, ajouter les steaks de thon et garnir de pommes de terre et de roquette. Servir accompagné de pain frais.

Salade de saumon et crevettes aux tomates

Pour 4 personnes

Ingrédients

115 g de tomates cerises ou olivettes
feuilles de salade
4 tomates mûres, grossièrement hachées
100 g de saumon fumé
200 g de grosses crevettes cuites

Vinaigrette

1 cuil. à soupe de Moutarde de Dijon
2 cuil. à café de sucre
2 cuil. à café de vinaigre de vin rouge
2 cuil. à soupe d'huile d'olive
brins d'aneth frais, un peu plus
pour la garniture
poivre

Réserver quelques tomates cerises pour la garniture et couper les tomates restantes en deux. Déposer les feuilles de salade à la circonférence d'un plat de service et ajouter les tomates cerises et les tomates hachées. Couper le saumon fumé en lanières à l'aide de ciseaux de cuisine et l'ajouter dans le plat avec les crevettes.

Mélanger la moutarde, le sucre, le vinaigre et l'huile dans un petit bol, ajouter l'aneth et bien émulsionner le tout. Verser la sauce sur la salade, poivrer et garnir d'aneth et de tomates cerises entières.

Salade de homard

Pour 2 personnes

Ingrédients

2 queues de homards crues
feuilles de trévise
brins d'aneth frais, en garniture

Mayonnaise

1 gros citron
1 gros jaune d'œuf
½ cuil. à café de moutarde de Dijon
150 ml d'huile d'olive
sel et poivre
1 cuil. à soupe d'aneth frais haché

Pour la mayonnaise, râper finement la moitié du zeste de citron et presser le jus. Battre le jaune d'œuf dans un petit bol, incorporer la moutarde et 1 cuillerée à café de jus de citron.

À l'aide d'un fouet ou d'un batteur électrique, incorporer l'huile goutte à goutte jusqu'à ce que la mayonnaise prenne. Incorporer le zeste de citron et le jus de citron restant.

Saler et poivrer la mayonnaise, et incorporer davantage de jus de citron si nécessaire. Ajouter l'aneth, couvrir et réserver au réfrigérateur.

Porter une grande casserole d'eau à ébullition, ajouter le homard et laisser revenir à ébullition. Cuire 6 minutes, jusqu'à ce que la chair soit opaque et que la carapace soit rouge. Égoutter et laisser refroidir.

Décortiquer le homard et couper la chair en dés. Répartir les feuilles de trévise dans des assiettes et ajouter le homard. Déposer une cuillerée de mayonnaise dans chaque assiette, garnir de brins d'aneth et servir.

Salade russe

Pour 4 personnes

Ingrédients

115 g de pommes de terre nouvelles
115 g de fèves fraîches mondées
ou de fèves surgelées
115 g de mini-carottes
115 g de mini-épis de maïs
115 g de mini-panais
115 g de champignons de Paris,
coupés en julienne
350 g de crevettes cuites décortiquées
et déveinées
125 ml de mayonnaise
1 cuil. à soupe de jus de citron
2 cuil. à soupe de câpres en saumure,
égouttées et rincées
sel et poivre
2 cuil. à soupe d'huile d'olive vierge extra
2 œufs durs, écalés et coupés en deux
4 filets d'anchois en boîte, égouttés
et coupés en deux
paprika, en garniture

Procéder à la cuisson des pommes de terre, des fèves, des carottes, du maïs et des panais simultanément. Cuire les pommes de terre 20 minutes à l'eau bouillante salée. Cuire les fèves dans une petite casserole d'eau salée 3 minutes, égoutter, rafraîchir à l'eau courante et réserver. Cuire les carottes, le maïs et les panais 6 minutes dans une grande casserole d'eau salée.

Mélanger les champignons et les crevettes dans une terrine. Dans une autre terrine, mélanger la mayonnaise et le jus de citron, incorporer la moitié du mélange obtenu aux crevettes. Ajouter les câpres, saler et poivrer.

Égoutter les pommes de terre, les carottes, le maïs et les panais, les rafraîchir à l'eau courante et les transférer dans une terrine. Monder les fèves en les pressant entre le pouce et l'index et les ajouter dans la terrine. Incorporer l'huile d'olive et répartir le tout dans des assiettes. Garnir du mélange à base de champignons, déposer un demi-œuf dur au centre de chaque assiette et décorer les œufs durs d'anchois. Saupoudrer de paprika et servir accompagné de la mayonnaise citronnée restante.

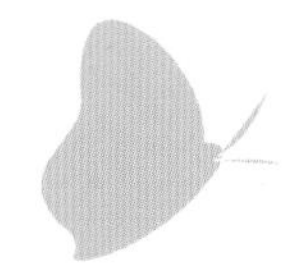

Salade de fruits de mer

Pour 4 personnes

Ingrédients

250 g de moules fraîches
350 g de noix de Saint-Jacques, décoquillées et nettoyées
250 g de calmars parés, coupés en anneaux
1 oignon rouge, coupé en deux et finement émincé
persil haché, en accompagnement
quartiers de citron, en accompagnement

Vinaigrette

4 cuil. à soupe d'huile d'olive vierge extra
2 cuil. à soupe de vinaigre de vin blanc
1 cuil. à soupe de jus de citron
1 gousse d'ail, finement hachée
1 cuil. à soupe de persil plat frais haché
sel et poivre

Gratter les moules et les ébarber. Jeter les moules dont la coquille est cassée et celles qui ne se ferment pas au toucher. Rincer les moules à l'eau courante dans une passoire et les transférer dans une grande casserole avec un peu d'eau. Couvrir et cuire 3 à 4 minutes à feu vif en secouant régulièrement la casserole, jusqu'à ce que les moules soient ouvertes. Jeter les moules qui sont restées fermées. Égoutter les moules en réservant le liquide de cuisson, les rafraîchir à l'eau courante et les égoutter de nouveau. Réserver.

Reverser le liquide de cuisson dans la casserole et le porter à ébullition. Ajouter les noix de Saint-Jacques et les calmars, et cuire 3 minutes. Retirer la casserole du feu et égoutter les fruits de mer. Rafraîchir à l'eau courante et égoutter de nouveau. Décoquiller les moules, les mettre dans une terrine et ajouter les noix de Saint-Jacques et les calmars. Laisser refroidir, couvrir de film alimentaire et mettre 45 minutes au réfrigérateur.

Répartir les fruits de mer dans des assiettes et garnir d'oignon émincé. Mélanger tous les ingrédients de la vinaigrette, en arroser les fruits de mer et garnir de persil haché. Servir accompagné de quartiers de citron.

Salade de crabe au melon

Pour 4 personnes

Ingrédients

350 g de chair de crabe fraîche
5 cuil. à soupe de mayonnaise
50 ml de yaourt nature
4 cuil. à café d'huile d'olive vierge extra
4 cuil. à café de jus de citron vert
1 oignon vert, finement haché
4 cuil. à café de persil frais finement haché
1 pincée de piment de Cayenne
1 melon
2 têtes de trévise, feuilles séparées
brins de persil frais, en garniture
pain frais, en accompagnement

Mettre la chair de crabe dans une grande terrine et ôter délicatement les restes de carapace ou de cartilage en veillant à ne pas émietter la chair.

Mettre la mayonnaise, le yaourt, l'huile d'olive, le jus de citron vert, l'oignon vert, le persil frais et le piment de Cayenne dans un bol, bien mélanger et incorporer au crabe.

Couper le melon en deux, l'épépiner et couper la chair en quartiers.

Répartir les feuilles de trévise et le melon dans des bols, ajouter le crabe et garnir de brins de persil. Servir accompagné de pain frais.

Salade de riz aux crevettes

Pour 4 personnes

Ingrédients

175 g d'un mélange de riz long grain et de riz sauvage
sel et poivre
350 g de crevettes cuites et décortiquées
1 mangue, pelée, dénoyautée et coupée en dés
4 oignons verts, émincés
25 g d'amandes effilées
1 cuil. à soupe de menthe fraîche finement hachée

Sauce

1 cuil. à soupe d'huile d'olive vierge extra
2 cuil. à café de jus de citron vert
1 gousse d'ail, hachée
1 cuil. à café de miel liquide
sel et poivre

Cuire le riz 35 minutes à l'eau bouillante salée, jusqu'à ce qu'il soit tendre. Égoutter, transférer dans une grande terrine et ajouter les crevettes.

Pour la sauce, mélanger tous les ingrédients dans un grand pichet, saler et poivrer. Émulsionner le tout, arroser le riz et les crevettes, et laisser refroidir.

Ajouter la mangue, les oignons verts, les amandes et la menthe, poivrer à volonté et mélanger le tout. Transférer dans un grand saladier et servir immédiatement.

Salade aux olives et aux anchois

Pour 4 personnes

Ingrédients

1 bonne poignée de mesclun
12 tomates cerises, coupées en deux
20 olives noires, dénoyautées et coupées en deux
6 filets d'anchois en boîte, égouttés et finement émincés
1 cuil. à soupe d'origan frais haché
quartiers de citron, en garniture
petits pains croustillants, en accompagnement

Vinaigrette

4 cuil. à soupe d'huile d'olive vierge extra
1 cuil. à soupe de vinaigre de vin blanc
1 cuil. à soupe de jus de citron
1 cuil. à soupe de persil plat frais haché
sel et poivre

Pour la vinaigrette, mettre tous les ingrédients dans un bol, saler, poivrer et bien émulsionner le tout.

Déposer les feuilles de salade dans un grand saladier, parsemer de tomates cerises, d'olives, d'anchois et d'origan, et arroser de vinaigrette.

Garnir de quartiers de citron et servir accompagné de pain frais.

Salade de roquette au saumon fumé

Pour 4 personnes

Ingrédients

50 g de feuilles de roquette
1 cuil. à soupe de persil plat frais haché
2 oignons verts, hachés
2 gros avocats
1 cuil. à soupe de jus de citron
250 g de saumon fumé

Sauce

150 ml de mayonnaise
2 cuil. à soupe de jus de citron vert
zeste finement râpé d'un citron vert
1 cuil. à soupe de persil plat frais haché, plus quelques brins pour la garniture

Ciseler la roquette et la répartir dans 4 verrines. Parsemer de persil haché et d'oignons verts.

Couper en deux les avocats, les peler et les dénoyauter. Couper la chair en dés, les enduire de jus de citron de sorte qu'ils ne noircissent pas et les répartir dans les verrines. Couper le saumon fumé en lanières et ajouter dans les verrines.

Pour la sauce, mettre la mayonnaise dans un bol, ajouter le jus de citron vert, le zeste de citron vert et le persil haché, et bien mélanger le tout. Ajouter des cuillerées de sauce dans les verrines et garnir de brins de persil.

Salade de pâtes au thon et aux fines herbes

Pour 4 personnes

Ingrédients

200 g de fusillis

1 poivron rouge, épépiné et coupé en quartiers

1 oignon rouge, coupé en lamelles

4 tomates, coupées en rondelles

200 g de thon en saumure, égoutté et émietté

Vinaigrette

6 cuil. à soupe d'huile au basilic ou d'huile d'olive vierge extra

3 cuil. à soupe de vinaigre de vin blanc

1 cuil. à soupe de jus de citron vert

1 cuil. à café de moutarde

1 cuil. à café de miel

4 cuil. à soupe de basilic frais haché, plus quelques brins pour la garniture

Porter une casserole d'eau salée à ébullition, ajouter les pâtes et laisser revenir à ébullition. Cuire 8 à 10 minutes, jusqu'à ce qu'elles soient al dente.

Pendant ce temps, passer les quartiers de poivron 10 à 12 minutes au gril préchauffé, jusqu'à ce que la peau noircisse. Transférer dans un sac en plastique, fermer et laisser reposer.

Égoutter les pâtes et les laisser refroidir. Retirer les poivrons de leur sac, ôter la peau et détailler la chair en lanières.

Pour la vinaigrette, mettre tous les ingrédients dans une terrine et bien mélanger. Ajouter les pâtes, les lanières de poivrons, l'oignon, les tomates et le thon, et bien mélanger le tout. Répartir la salade dans des assiettes, garnir de brins de basilic et servir.

Salade d'épinards aux fruits de mer

Pour 4 personnes

Ingrédients

500 g de moules, nettoyées
100 g de crevettes, décortiquées et déveinées
350 g de noix de Saint-Jacques
500 g de pousses d'épinards
3 oignons verts, parés et hachés

Vinaigrette

4 cuil. à soupe d'huile d'olive vierge extra
2 cuil. à soupe de vinaigre de vin blanc
1 cuil. à soupe de jus de citron
1 cuil. à café de zeste de citron finement râpé
1 gousse d'ail, hachée
1 cuil. à soupe de gingembre frais râpé
1 petit piment rouge, épépiné et coupé en dés
1 cuil. à soupe de coriandre fraîche hachée
sel et poivre

Mettre les moules dans une grande casserole avec un peu d'eau, porter à ébullition et cuire 4 minutes à feu vif. Égoutter et réserver le liquide de cuisson. Jeter les moules qui sont restées fermées. Remettre le liquide de cuisson dans la casserole et porter à ébullition. Ajouter les crevettes et les noix de Saint-Jacques, cuire 3 minutes et égoutter. Décoquiller les moules. Rincer les moules, les crevettes et les noix de Saint-Jacques, et les mettre dans une grande terrine. Laisser refroidir, couvrir de film alimentaire et mettre 45 minutes au réfrigérateur. Pendant ce temps, rincer les pousses d'épinards et les mettre dans une casserole avec 4 cuillerées à soupe d'eau. Cuire 1 minute à feu vif, transférer dans une passoire et rafraîchir à l'eau courante.

Pour la vinaigrette, mettre tous les ingrédients dans un petit bol et mélanger. Déposer les épinards dans un plat de service, parsemer de la moitié des oignons verts et ajouter les moules, les crevettes et les noix de Saint-Jacques. Garnir des oignons verts restants, arroser de vinaigrette et servir.

Salade de fruits de mer à la mode napolitaine

Pour 4 personnes

Ingrédients

450 g de calmars parés, coupés en anneaux
750 g de moules cuites
450 g de coques cuites en saumure
150 ml de vin blanc
300 ml d'huile d'olive
225 g de petites pâtes
jus d'un citron
1 botte de ciboulette, ciselée
1 botte de persil frais, finement hachée
sel et poivre
mesclun
4 grosses tomates, en garniture

Mettre les fruits de mer dans une terrine, ajouter le vin et la moitié de l'huile d'olive, et laisser mariner 6 heures.

Transférer les fruits de mer dans une casserole et laisser mijoter 10 minutes à feu doux. Laisser refroidir.

Porter une casserole d'eau salée à ébullition, ajouter les pâtes et 1 cuillerée à soupe d'huile d'olive, et cuire 8 à 10 minutes, jusqu'à ce que les pâtes soient al dente. Égoutter et rafraîchir à l'eau courante.

Prélever la moitié du jus de cuisson des fruits de mer et le jeter. Incorporer le jus de citron, la ciboulette, le persil et l'huile d'olive restante aux fruits de mer, saler et poivrer. Égoutter les pâtes et les ajouter aux fruits de mer.

Couper les tomates en quartiers. Ciseler le mesclun et en chemiser un grand saladier. Transférer les fruits de mer dans le saladier, garnir de tomates et servir.

Salade de moules

Pour 4 personnes

Ingrédients

2 gros poivrons rouges, épépinés et coupés en deux
350 g de moules cuites décoquillées
1 tête de trévise
25 g de roquette
8 moules vertes cuites dans leur coquille

Sauce

1 cuil. à soupe d'huile d'olive
1 cuil. à soupe de jus de citron
1 cuil. à café de zeste de citron finement râpé
2 cuil. à café de miel liquide
1 cuil. à café de moutarde de Dijon
1 cuil. à soupe de ciboulette fraîche ciselée
sel et poivre

Passer les poivrons au gril 8 à 10 minutes, côté coupé vers le bas, jusqu'à ce que la peau noircisse et que la chair soit tendre. Retirer du gril à l'aide de pinces, mettre dans une terrine et couvrir de film alimentaire. Laisser reposer 10 minutes, et retirer la peau.

Détailler la chair des poivrons en lanières et les mettre dans une grande terrine. Incorporer délicatement les moules.

Pour la sauce, émulsionner l'huile avec le jus et le zeste de citron, le miel, la moutarde et la ciboulette dans un petit bol. Saler et poivrer. Ajouter la sauce dans la terrine et bien mélanger.

Retirer le cœur de la trévise et ciseler les feuilles. Mettre la trévise dans un saladier et ajouter la roquette.

Déposer les moules au centre du saladier, ajouter les moules vertes entières sur le pourtour et servir.

Salade de poisson aigre-douce

Pour 4 personnes

Ingrédients

225 g de filets de truite
225 g de filets de poisson à chair blanche
300 ml d'eau
1 tige de citronnelle
2 feuilles de limette
1 gros piment rouge
1 botte d'oignons verts, parés et ciselés
115 g de chair d'ananas frais, coupé en dés
1 petit poivron rouge, épépiné et coupé en dés
1 botte de cresson, rincée et parée
ciboulette fraîche hachée, en garniture

Vinaigrette

1 cuil. à soupe d'huile de tournesol
1 cuil. à soupe de vinaigre de vin de riz
1 pincée de poudre de piment
1 cuil. à café de miel liquide
sel et poivre

Rincer le poisson, le mettre dans une poêle et le couvrir d'eau. Plier la citronnelle en deux et l'ajouter dans la poêle avec les feuilles de limette. Piquer le piment à l'aide d'une fourchette et l'ajouter dans la poêle. Porter à ébullition et laisser mijoter 7 à 8 minutes. Laisser refroidir.

Égoutter le poisson, l'émietter et le mettre dans une terrine. Incorporer délicatement les oignons verts, l'ananas et le poivron.

Répartir le cresson dans 4 assiettes et ajouter le mélange à base de poisson.

Pour la vinaigrette, mélanger tous les ingrédients, saler et poivrer. En arroser le poisson et servir garni de ciboulette.

Crevettes épicées et leur salsa à l'ananas et à la papaye

Pour 8 personnes

Ingrédients

4 cuil. à soupe d'huile de tournesol
1 piment rouge frais, épépiné et haché
1 gousse d'ail, hachée
48 crevettes
persil frais haché, en garniture

Salsa à l'ananas et à la papaye

1 grosse papaye, coupée en deux, épépinée, pelée et coupée en dés de 5 mm
1 petit ananas, coupé en deux, évidé, pelé et coupé en dés de 5 mm
2 oignons verts, très finement hachés
1 piment rouge, épépiné et finement haché
1 gousse d'ail, très finement hachée
2½ cuil. à café de jus de citron
½ cuil. à café de cumin en poudre
¼ cuil. à café de sel
poivre noir

Pour la salsa, mettre la papaye dans une grande terrine, ajouter l'ananas, les oignons verts, le piment, l'ail, le jus de citron, le cumin, du sel et du poivre. Rectifier l'assaisonnement, couvrir et laisser mariner au moins 2 heures au réfrigérateur.

Chauffer un wok à feu vif, ajouter l'huile, le piment et l'ail, et faire revenir 20 secondes. Ajouter les crevettes et faire revenir 2 à 3 minutes, jusqu'à ce que les crevettes soient bien roses et se recourbent.

Transférer le contenu du wok dans une grande terrine et laisser refroidir. Couvrir et laisser reposer 2 heures au réfrigérateur.

Au moment de servir, mélanger la salsa et rectifier l'assaisonnement. Répartir la salsa dans 8 assiettes, égoutter les crevettes et les ajouter dans les assiettes. Garnir de persil et servir.

Espadon grillé et sa salsa aux tomates fraîches

Pour 4 personnes

Ingrédients

4 steaks d'espadon, d'environ 140 g chacun
sel et poivre
1 noix de beurre
1 cuil. à soupe d'huile d'olive
tranches de pain frais, en accompagnement

Salsa aux tomates fraîches

4 cuil. à soupe d'huile d'olive vierge extra
1 cuil. à soupe de vinaigre de vin rouge
600 g de tomates cœur-de-bœuf, évidées, épépinées et finement hachées
140 g de grosses olives noires, dénoyautées et coupées en deux
1 échalote, finement hachée ou émincée
1 cuil. à soupe de câpres en saumure, rincées et séchées
sel et poivre
3 cuil. à soupe de feuilles de basilic frais finement hachées

Pour la salsa, émulsionner l'huile d'olive avec le vinaigre dans une grande terrine. Incorporer les tomates, les olives, l'échalote et les câpres, saler et poivrer. Couvrir et réserver au réfrigérateur.

Saler les steaks d'espadon. Chauffer l'huile dans une poêle assez grande pour contenir les steaks en une seule couche. (À défaut, procéder à la cuisson en deux fournées.)

Déposer les steaks d'espadon dans la poêle et cuire 5 minutes, jusqu'à ce qu'ils soient dorés. Retourner le poisson et cuire encore 3 minutes, jusqu'à ce qu'il s'effeuille sous la fourchette. Retirer l'espadon de la poêle et le laisser refroidir complètement. Couvrir et mettre 2 heures au réfrigérateur.

Au moment de servir, sortir l'espadon du réfrigérateur et le laisser revenir à température ambiante 15 minutes. Incorporer le basilic à la salsa et rectifier l'assaisonnement. Briser l'espadon en gros morceaux et l'ajouter délicatement à la salsa. Répartir le tout dans 4 assiettes et servir accompagné de pain frais.

Salade de crevettes cocktail

Pour 4 personnes

Ingrédients

2 cuil. à café de sel
$1/2$ citron, coupé en rondelles
32 gambas, décortiquées et déveinées
175 g de ketchup
$1\,1/2$ cuil. à soupe de raifort râpé
3 branches de céleri, coupées en rondelles de 5 mm
zeste finement râpé et jus d'un citron
sel et poivre
feuilles de laitue iceberg ciselées, en accompagnement
quartiers de citron, en garniture

Porter une grande casserole d'eau à ébullition, ajouter le sel et les rondelles de citron et réduire le feu au minimum. Ajouter les crevettes et laisser mijoter 3 minutes, jusqu'à ce qu'elles soient roses et recourbées. Égoutter les crevettes dans une passoire, rafraîchir à l'eau courante de façon à stopper la cuisson et réserver.

Mettre le ketchup, le raifort, le céleri et le zeste de citron dans une terrine et bien mélanger. Incorporer 1 cuillerée à soupe de jus de citron, saler et poivrer. Incorporer les crevettes, couvrir et mettre au moins 2 heures au réfrigérateur.

Au moment de servir, mélanger la salade et rectifier l'assaisonnement. Répartir les feuilles de laitue dans 4 assiettes et déposer la salade de crevettes au centre. Servir immédiatement, garni de quartiers de citron.

Céleri rémoulade au crabe

Pour 4 personnes

Ingrédients

450 g de céleri-rave, pelé et râpé
jus d'un citron
250 g de chair de crabe blanche fraîche
aneth ou persil frais hachés, en garniture

Sauce rémoulade

150 ml de mayonnaise
1 cuil. à soupe de moutarde de Dijon
1½ cuil. à café de vinaigre de vin blanc
2 cuil. à soupe de câpres en saumure, bien rincées
sel et poivre blanc

Pour la sauce, mettre la mayonnaise dans un bol, incorporer la moutarde, le vinaigre et les câpres, saler et poivrer à volonté – la sauce doit être relevée et très moutardée. Couvrir et réserver au réfrigérateur.

Porter une grande casserole d'eau salée à ébullition. Pendant ce temps, peler le céleri et le couper en quartiers. Le râper grossièrement dans un robot de cuisine ou à l'aide d'une râpe à gros trous.

Ajouter le céleri et le jus de citron dans l'eau bouillante et cuire 1 min 30 à 2 minutes, jusqu'à ce que le céleri soit légèrement tendre. Rincer le céleri et le rafraîchir à l'eau courante de façon à stopper la cuisson. Presser le céleri avec les mains pour exprimer le plus d'eau possible et le sécher dans un torchon ou avec du papier absorbant.

Incorporer le céleri à la sauce et ajouter la chair de crabe. Rectifier l'assaisonnement, couvrir et mettre au moins 30 minutes au réfrigérateur.

Au moment de servir, transférer la salade dans un saladier et garnir d'aneth ou de persil.

Dynamisantes

Salades saines et équilibrées

Salade de riz sauvage au concombre et à l'orange

Pour 4 personnes

Ingrédients

225 g de riz sauvage
850 ml d'eau
1 poivron rouge, 1 poivron jaune et 1 poivron orange, mondés, épépinés et finement émincés
½ concombre, coupé en deux dans la longueur puis émincé
1 orange, pelée à vif et coupée en cubes
3 tomates mûres, concassées
1 oignon rouge, très finement haché
1 poignée de persil plat finement haché

Vinaigrette

1 gousse d'ail, hachée
1 cuil. à soupe de vinaigre balsamique
gros sel et poivre noir
2 cuil. à soupe d'huile d'olive vierge extra

Mettre le riz sauvage et l'eau dans une grande casserole et porter à ébullition. Mélanger, couvrir et laisser mijoter 40 minutes, jusqu'à ce que le riz soit al dente. Ôter le couvercle au cours des dernières minutes de la cuisson de sorte que l'eau en excédent puisse s'évaporer.

Pour la vinaigrette, mettre l'ail, le vinaigre, l'huile d'olive, du sel et du poivre dans un bocal muni d'un couvercle et secouer vigoureusement. Rectifier l'assaisonnement.

Égoutter le riz et le transférer dans une grande terrine. Ajouter la vinaigrette, les poivrons, le concombre, l'orange, les tomates, l'oignon rouge et le persil plat, et servir.

Salade de trévise au poivron rouge

Pour 4 personnes

Ingrédients

2 poivrons rouges
1 tête de trévise, feuilles séparées
4 betteraves entières cuites, coupées en allumettes
12 radis, coupés en rondelles
4 oignons verts, finement hachés
4 cuil. à soupe de vinaigrette
pain frais, en accompagnement

Évider les poivrons, les épépiner et les couper en rondelles.

Chemiser un saladier de feuilles de trévise, ajouter les poivrons, les betteraves, les radis et les oignons verts, et arroser de vinaigrette. Servir accompagné de pain frais.

Salade printanière

Pour 4 personnes

Ingrédients

2 pommes à dessert, évidées et coupées en dés
jus d'un citron
1 gros morceau de pastèque, épépiné et coupé en cubes
1 endive, émincée
4 branches de céleri avec leurs feuilles, grossièrement hachées
1 cuil. à soupe d'huile de noix

Évider les pommes, les couper en dés et les mettre dans une terrine. Ajouter le jus de citron et bien mélanger de sorte que les pommes ne noircissent pas.

Ajouter les fruits et légumes restants dans la terrine et mélanger délicatement. Incorporer l'huile de noix et servir.

Salade de pois chiches à la tomate

Pour 4 personnes

Ingrédients

175 g de pois chiches secs ou 400 g de pois chiches en boîte, égouttés et rincés
225 g de tomates mûres, concassées
1 oignon rouge, finement émincé
1 poignée de feuilles de basilic, ciselée
1 laitue ou romaine, ciselées
pain frais, en accompagnement

Sauce

1 piment vert, épépiné et finement haché
1 gousse d'ail, hachée
jus et zeste de 2 citrons
2 cuil. à soupe d'huile d'olive
1 cuil. à soupe d'eau
poivre noir

En cas d'utilisation de pois chiches secs, les mettre à tremper une nuit puis les cuire 30 minutes à l'eau bouillante, jusqu'à ce qu'ils soient tendres. Laisser refroidir.

Mettre le piment, l'ail, le jus de citron, l'huile d'olive, l'eau et le poivre noir dans un bocal muni d'un couvercle et secouer vigoureusement. Rectifier l'assaisonnement et ajouter de l'huile si nécessaire.

Ajouter les tomates, l'oignon et le basilic aux pois chiches, mélanger délicatement et incorporer la sauce. Déposer sur un lit de salade et servir accompagné de pain frais.

Salade de fenouil à l'orange

Pour 4 personnes

Ingrédients

2 oranges, pelées et coupées en rondelles
1 bulbe de fenouil, finement émincé
1 oignon rouge, pelé et détaillé en anneaux

Sauce

jus d'une orange
2 cuil. à soupe de vinaigre balsamique

Répartir les rondelles d'orange dans le fond d'un plat peu profond. Ajouter une couche de fenouil, puis une couche d'oignon.

Mélanger le jus d'orange et le vinaigre, et en arroser la salade.

Salade chaude aux lentilles et aux pommes de terre

Pour 4 personnes

Ingrédients

85 g de lentilles du Puy

450 g de pommes de terre nouvelles

6 oignons verts

1 cuil. à soupe d'huile d'olive

2 cuil. à soupe de vinaigre balsamique

sel et poivre

Porter une casserole d'eau à ébullition, rincer les lentilles et les ajouter dans la casserole. Cuire environ 20 minutes, jusqu'à ce qu'elles soient tendres. Égoutter, rincer et réserver.

Pendant ce temps, cuire les pommes de terre à l'eau ou la vapeur jusqu'à ce qu'elles soient bien tendres. Égoutter et couper en deux.

Parer les oignons verts et les détailler en rondelles.

Mettre les lentilles, les pommes de terre et les oignons verts dans un plat de service, arroser d'huile d'olive et de vinaigre, et bien mélanger le tout. Poivrer à volonté et saler si nécessaire.

Salade de pousses de soja aux abricots et aux amandes

Pour 4 personnes

Ingrédients

115 g de pousses de soja, lavées et séchées
1 petite grappe de raisins blancs et de raisins noirs, coupés en deux
12 abricots secs, coupés en deux
25 g d'amandes mondées, coupées en deux
poivre noir

Vinaigrette

1 cuil. à soupe d'huile de noix
1 cuil. à café d'huile de sésame
2 cuil. à café de vinaigre balsamique

Mettre les pousses de soja dans le fond d'un saladier et ajouter les raisins et les abricots.

Mettre les huiles et le vinaigre dans un bocal muni d'un couvercle et secouer vigoureusement. Verser la vinaigrette dans le saladier.

Parsemer d'amandes et poivrer à volonté.

Salade de tomates aux asperges

Pour 4 personnes

Ingrédients

225 g d'asperges vertes
1 mâche, lavée
25 g de roquette
450 g de tomates mûres, coupées en rondelles
12 olives noires, dénoyautées et hachées
1 cuil. à soupe de pignons grillés

Vinaigrette

1 cuil. à café d'huile citronnée
1 cuil. à soupe d'huile d'olive
1 cuil. à café de moutarde à l'ancienne
2 cuil. à soupe de vinaigre balsamique
sel et poivre

Cuire les asperges 8 minutes à la vapeur, jusqu'à ce qu'elles soient tendres. Rincer à l'eau courante de façon à stopper la cuisson et couper en tronçons de 5 cm.

Répartir les feuilles de mâche et de roquette dans un saladier, ajouter les rondelles de tomates à la circonférence et disposer les asperges au centre.

Garnir d'olives noires et de pignons. Mettre l'huile citronnée, l'huile d'olive, la moutarde et le vinaigre dans un bocal muni d'un couvercle, saler et poivrer. Secouer vigoureusement le bocal et verser la vinaigrette sur la salade.

Salade d'avocats

Pour 4 personnes

Ingrédients

1 poignée de feuilles de trévise
1 poignée de roquette
1 petit melon
2 avocats mûrs
1 cuil. à soupe de jus de citron
200 g de fontina, coupé en dés

Vinaigrette

5 cuil. à soupe d'huile d'olive vierge extra aromatisée au citron
1 cuil. à soupe de vinaigre de vin blanc
1 cuil. à soupe de jus de citron
1 cuil. à soupe de persil frais haché

Pour la vinaigrette, mélanger l'huile, le vinaigre, le jus de citron et le persil dans un petit bol.

Répartir les feuilles de trévise et de roquette dans un saladier. Couper le melon en deux, l'épépiner et retirer la peau. Couper la chair en tranches et déposer les tranches dans le saladier.

Couper les avocats en deux, dénoyauter et peler. Couper la chair en lamelles et l'enduire de jus de citron. Déposer les lamelles d'avocats sur le melon, ajouter le fromage et arroser de sauce. Garnir de persil et servir.

Salade de pommes de terre aux fines herbes

Pour 4 à 6 personnes

Ingrédients

500 g de pommes de terre nouvelles
sel et poivre
16 tomates cerises mûres, coupées en deux
70 g d'olives noires, dénoyautées et hachées
4 oignons verts, finement émincés
2 cuil. à soupe de menthe fraîche hachée
2 cuil. à soupe de persil frais haché
2 cuil. à soupe de coriandre fraîche hachée
jus d'un citron
3 cuil. à soupe d'huile d'olive vierge extra

Cuire les pommes de terre 15 minutes à l'eau bouillante salée, jusqu'à ce qu'elles soient tendres. Égoutter, laisser tiédir et peler. Couper en deux ou en quatre selon la taille des pommes de terre. Mettre les pommes de terre dans un saladier, ajouter les tomates, les olives, les oignons verts et les fines herbes, et bien mélanger le tout.

Mélanger l'huile d'olive et le jus de citron, en arroser la salade, saler et poivrer. Mélanger le tout et servir.

Taboulé

Pour 4 personnes

Ingrédients

175 g de quinoa
600 ml d'eau
10 tomates cerises mûres, coupées en deux
1 morceau de concombre de 7,5 cm, coupé en dés
3 oignons verts, finement hachés
jus d'un demi-citron
2 cuil. à soupe d'huile d'olive vierge extra
4 cuil. à soupe de menthe fraîche hachée
4 cuil. à soupe de coriandre fraîche hachée
4 cuil. à soupe de persil frais haché
sel et poivre

Mettre le quinoa dans une casserole, le couvrir d'eau et porter à ébullition. Réduire le feu, couvrir et laisser mijoter 15 minutes à feu doux. Égoutter si nécessaire.

Laisser refroidir le quinoa, le transférer dans un saladier et ajouter les ingrédients restants. Rectifier l'assaisonnement et servir.

Salade de nouilles au tofu

Pour 2 personnes

Ingrédients

200 g de nouilles de blé
250 g de tofu ferme fumé (poids égoutté)
200 g de chou blanc, finement ciselé
250 g de carottes, finement râpées
3 oignons verts, émincés en biais
1 piment rouge frais, épépiné et coupé en fins anneaux
2 cuil. à soupe de graines de sésame, légèrement grillées

Sauce

1 cuil. à café de gingembre frais râpé
1 gousse d'ail, hachée
175 g de tofu soyeux (poids égoutté)
4 cuil. à café de tamarin
2 cuil. à soupe d'huile de sésame
4 cuil. à soupe d'eau chaude
sel

Cuire les nouilles à l'eau bouillante salée selon les instructions figurant sur le paquet. Égoutter et rafraîchir à l'eau courante.

Pour la sauce, mélanger le gingembre, l'ail, le tofu, la sauce de soja, l'huile et l'eau jusqu'à obtention d'une consistance homogène et crémeuse. Saler à volonté.

Cuire le tofu 5 minutes à la vapeur et le couper en tranches.

Pendant ce temps, mettre le chou, les carottes, les oignons verts et le piment dans une terrine et mélanger le tout. Pour servir, répartir les nouilles dans des assiettes et garnir du mélange précédent. Arroser de sauce et garnir de graines de sésame.

Salade de courgettes à la menthe

Pour 4 personnes

Ingrédients

2 courgettes, coupées en bâtonnets
100 g de haricots verts, coupés en trois
1 poivron vert, épépiné et coupé en lanières
2 branches de céleri, émincées
1 botte de cresson

Sauce

200 ml de yaourt nature
1 gousse d'ail, hachée
2 cuil. à soupe de menthe fraîche hachée
poivre

Cuire les courgettes et les haricots verts 7 à 8 minutes à l'eau bouillante salée. Égoutter, rafraîchir à l'eau courante et égoutter de nouveau. Laisser refroidir complètement.

Mélanger les courgettes, les haricots verts, le poivron vert, le céleri et le cresson dans un grand saladier.

Pour la sauce, mélanger le yaourt, l'ail et la menthe, et poivrer à volonté.

Napper la salade de sauce et servir immédiatement.

Salade de tomates aux avocats et à la mozzarella

Pour 4 personnes

Ingrédients

2 tomates cœur-de-bœuf

100 g de mozzarella

2 avocats

quelques feuilles de basilic frais, ciselées

20 olives noires

pain frais, en accompagnement

Vinaigrette

1 cuil. à soupe d'huile d'olive

1½ cuil. à soupe de vinaigre de vin blanc

1 cuil. à café de moutarde à l'ancienne

sel et poivre

À l'aide d'un couteau tranchant, couper les tomates en quartiers épais et les mettre dans un saladier. Égoutter la mozzarella et la couper en morceaux. Couper les avocats en deux, les dénoyauter et couper la chair en tranches. Déposer la mozzarella et les avocats sur les tomates.

Mélanger l'huile, le vinaigre et la moutarde dans un bol, saler et poivrer à volonté. Arroser la salade de vinaigrette.

Parsemer la salade de basilic et d'olives, et servir immédiatement, accompagné de pain frais.

Salade de légumes grillés

Pour 4 personnes

Ingrédients

1 oignon
1 aubergine, d'environ 225 g
1 poivron rouge, épépiné
1 poivron orange, épépiné
1 grosse courgette, d'environ 175 g
2 à 4 gousses d'ail
2 à 4 cuil. à soupe d'huile d'olive
sel et poivre
1 cuil. à soupe de basilic frais ciselé
copeaux de parmesan, en garniture
pain frais, en accompagnement

Vinaigrette

1 cuil. à soupe de vinaigre balsamique
2 cuil. à soupe d'huile d'olive vierge extra
sel et poivre

Préchauffer le four à 200 °C (th. 6-7). Couper les légumes en morceaux de même taille, les mettre dans un plat à rôti et les parsemer d'ail.

Arroser de 2 cuillerées à soupe d'huile d'olive et mélanger. Saler et poivrer légèrement. Cuire 40 minutes au four préchauffé, jusqu'à ce que les légumes soient tendres. Ajouter un peu d'huile en cours de cuisson si les légumes se dessèchent.

Pendant ce temps, mettre le vinaigre, l'huile d'olive, du sel et du poivre dans un bocal muni d'un couvercle et secouer vigoureusement.

Sortir les légumes du four, les transférer dans un plat de service et arroser de sauce. Garnir de basilic et servir chaud ou froid, parsemé de copeaux de parmesan et accompagné de pain frais.

Salade aux trois haricots

Pour 4 à 6 personnes

Ingrédients

175 g de mesclun, contenant des pousses d'épinards, de la roquette et de la frisée par exemple
1 oignon rouge
85 g de radis
175 g de tomates cerises
115 g de betterave cuite
280 g de haricots cannellini en boîte, égouttés et rincés
200 g de haricots rouges en boîte, égouttés et rincés
300 g de flageolets en boîte, égouttés et rincés
40 g de canneberges séchées
55 g de noix de cajou grillées
225 g de feta (poids égoutté), émiettée

Sauce

4 cuil. à soupe d'huile d'olive vierge extra
1 cuil. à café de moutarde de Dijon
2 cuil. à soupe de jus de citron
1 cuil. à soupe de coriandre fraîche hachée
sel et poivre

Déposer les feuilles de salade dans un saladier et réserver.

Détailler l'oignon en fines tranches, couper les tranches en deux et les mettre dans une terrine.

Détailler les radis en fines rondelles, couper les tomates en deux et couper les betteraves en dés. Mettre les radis, les tomates et les betteraves dans une terrine avec les ingrédients restants, à l'exception des noix de cajou et de la feta.

Mettre les ingrédients de la sauce dans un bocal muni d'un couvercle et secouer vigoureusement. Incorporer la sauce dans la terrine et bien mélanger. Transférer le mélange obtenu dans le saladier.

Parsemer de noix de cajou et de feta, et servir immédiatement.

Succotash

Pour 4 à 6 personnes

Ingrédients

1 cuil. à soupe de vinaigre de cidre
1 cuil. à café de moutarde à l'ancienne
1 cuil. à café de sucre
3 cuil. à soupe d'huile d'olive à l'ail
1 cuil. à soupe d'huile de tournesol
400 g de maïs en boîte, rincé et égoutté
400 g de haricots mange-tout, émincés
2 poivrons mondés en bocal, égouttés et finement hachés
2 oignons verts, très finement hachés
sel et poivre
2 cuil. à soupe de persil frais haché, en garniture

Battre le vinaigre avec la moutarde et le sucre. Incorporer progressivement l'huile d'olive et l'huile de tournesol sans cesser de battre de façon à émulsionner le tout.

Incorporer le maïs, les haricots mange-tout, les poivrons rouges et les oignons verts. Saler et poivrer à volonté. Couvrir et laisser mariner jusqu'à un jour.

Au moment de servir, rectifier l'assaisonnement et incorporer le persil.

Salade d'épinards et sa sauce au bleu

Pour 4 à 6 personnes

Ingrédients

300 g de pousses d'épinards, tiges dures et feuilles jaunes retirées, rincées et séchées

4 oignons verts, hachés

3 oranges, séparées en quartiers

55 g de graines de tournesol

Sauce au bleu

125 g de bleu, du roquefort par exemple, émietté

200 g de yaourt à la grecque

1 cuil. à soupe de vinaigre de vin blanc

1/2 oignon, râpé

1/2 petite botte de ciboulette fraîche, hachée

sel et poivre

Pour la sauce, mettre le fromage, le yaourt, le vinaigre et l'oignon dans un robot de cuisine et mixer jusqu'à obtention d'une consistance homogène. Ajouter la ciboulette et mixer de nouveau. Saler et poivrer à volonté. Couvrir et réserver.

Au moment de servir, mettre les épinards et les oignons verts dans un saladier et incorporer la moitié de la sauce. Garnir de quartiers d'orange et parsemer de graines de tournesol.

Servir la salade, en présentant séparément la sauce restante.

Salade aux poires et au roquefort

Pour 4 personnes

Ingrédients

quelques feuilles de lollo rossa
quelques feuilles de trévise
quelques feuilles de mâche
2 poires mûres
poivre
ciboulette fraîche, en garniture

Sauce

55 g de roquefort
150 ml de yaourt nature
2 cuil. à soupe de ciboulette ciselée
poivre

Mettre le fromage dans une terrine et le réduire en purée à l'aide d'une fourchette. Incorporer progressivement le yaourt de façon à obtenir une sauce homogène. Ajouter la ciboulette, poivrer à volonté et bien mélanger le tout.

Ciseler les feuilles de lollo rossa, de trévise et de mâche, et les disposer dans un saladier ou dans des assiettes.

Couper les poires en quartiers et en ôter le cœur. Couper les quartiers en tranches et les déposer sur la salade.

Napper de sauce au fromage et garnir de brins de ciboulette entiers.

Salade de fruits verte

Pour 4 personnes

Ingrédients
1 melon honeydew
2 pommes vertes
2 kiwis
125 g de raisins verts
brins de menthe fraîche, en décoration

Sirop
1 citron
150 ml de vin blanc
150 ml d'eau
4 cuil. à soupe de miel liquide
quelques brins de menthe fraîche

Pour le sirop, prélever le zeste d'un citron à l'aide d'un économe.

Mettre le zeste dans une casserole, ajouter le vin blanc, l'eau et le miel, et porter à ébullition. Laisser mijoter 10 minutes à feu doux.

Retirer le sirop du feu, ajouter les brins de menthe et laisser refroidir.

Couper le melon en deux, l'épépiner et détailler la chair en billes.

Évider les pommes et les couper en deux. Peler les kiwis et les couper en tranches.

Filtrer le sirop dans un saladier. Jeter le zeste de citron et les brins de menthe.

Ajouter les pommes, les raisins, les kiwis et le melon dans le saladier et mélanger délicatement.

Décorer de brins de menthe fraîche et de zeste de citron, et servir immédiatement.

Salade de fruits tropicaux

Pour 4 personnes

Ingrédients

1 papaye
1 mangue
1 ananas
4 oranges, pelées à vif et séparées en segments
125 g de fraises, équeutées et coupées en quartiers
crème fraîche, en accompagnement (facultatif)

Sirop

6 cuil. à soupe de sucre en poudre
400 ml d'eau
½ cuil. à café d'un mélange d'épices en poudre
zeste râpé d'un demi-citron

Mettre le sucre, l'eau, le mélange d'épices et le zeste de citron dans une casserole. Porter à ébullition sans cesser de remuer et cuire encore 1 minute. Retirer le sirop du feu et le laisser revenir à température ambiante. Transférer le sirop dans un pichet, couvrir de film alimentaire et mettre 1 heure au réfrigérateur.

Peler la papaye, la couper en deux et l'épépiner. Couper la chair en cubes ou en tranches et la mettre dans une grande terrine. Couper la mangue dans la longueur de chaque côté du noyau. Peler et détailler la chair en cubes ou en tranches et l'ajouter dans la terrine. Retirer le sommet et la base de l'ananas et ôter la peau. Couper l'ananas en quartiers dans la longueur, retirer le cœur dur et détailler la chair en cubes. Ajouter les quartiers d'orange et les fraises.

Arroser le tout de sirop froid, couvrir de film alimentaire et réserver au réfrigérateur. Servir éventuellement accompagné de crème fraîche.

Salade de pastèque aux figues

Pour 4 personnes

Ingrédients

1 pastèque de 1,5 kg

115 g de raisins noirs

4 figues

Sirop

1 citron vert

zeste râpé et jus d'une orange

1 cuil. à soupe de sirop d'érable

2 cuil. à soupe de miel liquide

Couper la pastèque en quartiers et l'épépiner. Ôter la peau et détailler la chair en cubes de 2,5 cm. Mettre la pastèque dans une terrine et ajouter les grains de raisin. Couper chaque figue en 8 quartiers dans la hauteur et ajouter dans la terrine.

Râper le zeste de citron, le mettre dans une petite casserole et ajouter le zeste et le jus d'orange, le sirop d'érable et le miel. Porter à ébullition à feu doux, verser sur les fruits et mélanger. Laisser refroidir, mélanger de nouveau et couvrir. Mettre au moins 1 heure au réfrigérateur en remuant de temps en temps.

Répartir la salade de fruits dans 4 coupes à dessert et servir.

Salade de melon et de mangue

Pour 4 personnes

Ingrédients

1 melon canteloup
55 g de raisins noirs, coupés en deux et épépinés
55 g de raisins blancs
1 grosse mangue
1 botte de cresson, parée
feuilles de laitue iceberg, ciselées
1 fruit de la passion

Sauce au yaourt

150 ml de yaourt nature
1 cuil. à soupe de miel liquide
1 cuil. à café de gingembre frais râpé

Vinaigrette

2 cuil. à soupe d'huile d'olive
1 cuil. à soupe de vinaigre de cidre
sel et poivre

Pour la sauce au yaourt, battre le yaourt avec le miel et le gingembre.

Couper le melon en deux, l'épépiner et le peler. Détailler la chair en dés, mettre dans une terrine et ajouter le raisin.

Couper la mangue en deux de chaque côté du noyau. Sans percer la peau, prédécouper la chair des demi-mangues en dés. Pousser la peau des demi-mangues pour faire ressortir les dés de chair et détacher ceux-ci de la peau à l'aide d'un couteau tranchant. Ajouter dans la terrine.

Répartir le cresson et la laitue dans 4 assiettes.

Pour la vinaigrette, émulsionner l'huile d'olive avec le vinaigre, du sel et du poivre. Arroser le cresson et la laitue du mélange obtenu.

Répartir le mélange à base de melon dans les assiettes et napper de sauce au yaourt.

Prélever les graines du fruit de la passion et en parsemer la salade. Servir immédiatement ou réserver au réfrigérateur.

Salade de papaye

Pour 4 personnes

Ingrédients

1 laitue croquante

1/4 de petit chou blanc

2 papayes

2 tomates

25 g de cacahuètes grillées, concassées

4 oignons verts, parés et finement émincés

feuilles de basilic, en garniture

Sauce

4 cuil. à soupe d'huile d'olive

1 cuil. à soupe de nuoc-mâm
ou de sauce de soja

2 cuil. à soupe de jus de citron
ou de citron vert

1 cuil. à soupe de sucre roux

1 cuil. à café de piment rouge ou vert frais
finement hachés

Pour la sauce, émulsionner l'huile avec le nuoc-mâm, le jus de citron vert, le sucre et le piment. Réserver en remuant de temps en temps de façon à dissoudre le sucre.

Ciseler la laitue et le chou, mélanger et répartir dans un saladier.

Peler la papaye, la couper en deux et l'épépiner. Couper la chair en fines tranches et les déposer dans le saladier.

Plonger les tomates 1 minute dans de l'eau bouillante, égoutter et monder. Épépiner, concasser la chair et ajouter dans le saladier.

Parsemer de cacahuètes et d'oignons verts. Battre la sauce et la verser dans le saladier. Garnir de feuilles de basilic et servir immédiatement.

Salade de fruits exotiques

Pour 4 personnes

Ingrédients

2 oranges

2 gros fruits de la passion

1 ananas

1 grenade

1 banane

Couper une orange en deux et en presser le jus dans une terrine en veillant à ôter tous les pépins. À l'aide d'un couteau tranchant, peler à vif l'orange restante et détacher les segments. Procéder au-dessus de la terrine de façon à recueillir le jus. Ajouter les segments dans la terrine.

Couper les fruits de la passion en deux, prélever la chair et la passer au travers d'un tamis en nylon en pressant à l'aide d'une cuillère en bois. Ajouter la pulpe et le jus dans la terrine et jeter les pépins.

À l'aide d'un couteau tranchant, peler l'ananas et couper la chair en quartiers dans la hauteur. Retirer le cœur, détailler la chair restante en morceaux et ajouter dans la terrine. Couvrir et réserver au réfrigérateur.

Couper la grenade en quartiers et prélever les graines avec les doigts ou à l'aide d'une petite cuillère. Couvrir et réserver au réfrigérateur – n'ajouter les graines de grenade aux autres fruits qu'au dernier moment de sorte qu'elles ne les colorent pas.

Juste avant de servir, peler la banane et la couper en rondelles. Ajouter les rondelles de banane et les graines de grenade aux autres fruits, mélanger et servir immédiatement.

Salade de melon aux fraises

Pour 4 personnes

Ingrédients

1/2 laitue iceberg, ciselée

1 petit melon honeydew

225 g de fraises, coupées en lamelles

1 morceau de concombre de 5 cm, finement émincé

brins de menthe fraîche, en garniture

Sauce

200 g de yaourt nature

1 morceau de concombre de 5 cm, râpé

quelques feuilles de menthe fraîche

1/2 cuil. à café de zeste finement râpé de citron ou de citron vert

1 pincée de sucre en poudre

3 à 4 glaçons

Répartir la laitue dans 4 assiettes.

Couper le melon en quartiers dans la longueur. Épépiner, ôter la peau et détailler en cubes de 2,5 cm.

Ajouter le melon dans les assiettes et garnir de fraises et de rondelles de concombre.

Pour la sauce, mettre le yaourt, le concombre, les feuilles de menthe, le zeste de citron vert, le sucre en poudre et les glaçons dans un robot de cuisine et mixer le tout 15 secondes, jusqu'à obtention d'une consistance homogène.

Servir la salade nappée de sauce et garnie de brins de menthe fraîche.

Index